JN039426

日本を
ダサくした
「空気」

怒りと希望の日本人論

中川淳一郎

徳間書店

はじめに

いつから日本はこんなにダサい国になってしまったのだろうか。かつて、日本は世界が賞賛する国だった。経済、民度、清潔さ、治安の良さなど様々だ。白人が悪口を言おうにも「所詮(しょせん)は敗戦国だ」やら「とはいっても黄色人種じゃん」という差別的なものに加え、意味不明の「あいつらは米と生魚と海藻を食べる野蛮人」というレベルの低いものばかりだった。

こうしたやっかみを目にして現在50歳の私は、10～30代前半の頃、「はいはい、白人様ではない国が経済・文化の面で世界上位にいることが悔しいのね。よしよし」と軽くいなすような余裕があった。だが、30代中盤以降は「ちょっと日本はヤバいのではないか……」と思い始めるようになったのである。

経済的停滞とデフレとそれに伴うコスパ重視のケチ日本人が、この感覚をもたらしたと感じている。２０１８年３月から４月にかけ、29歳の無職男が「１回来店すると２ポイント（２円分）がもらえる」というイオンに２７０万回来店したことにして、５３８万円を奪おうとした。男はスマホのGPSデータを偽装していた。実にセコく、ダサい。

２０２０年の新型コロナウイルス騒動開始以降、日本はそのダサさに磨きをかけ、２０２３年春、究極のダサダサ国家に成り下がった。私はそんなダサ過ぎる日本にいるのが苦痛過ぎて2月からタイ・バンコクへ「疎開」をしたが、外に出てみると本当に日本のダサさを感じ、この度筆を執ることとなった。

何がダサいかといえば、一番大きいのは「極度に安心を求める」点にある。要するに保守的過ぎて、現状を変えたくないのだ。次いで「異論は許さず、全体主義国家である」ことがある。これも「安心」には繋がる。要するに「他人と同じことをすることにより安心できる」ということだ。その典型が約3年半続いた新型コロナウイルス騒動である。マスクをしない者とワクチンを打たない者を反社会的な存在とみなし、大勢で糾弾した。その流れを作ったのは、圧倒的力を持つ地上波テレビの力だった。

本来「新型コロナウイルスの専門家」など存在しえないはずなのに、いつしかテレビのレギュラーと化した彼らは絶対的な権威として、発言すべてが正しいということになった。多くの国が規制を撤廃した２０２２年初頭、日本は「まだ未知の部分が多いから気を抜けない」とばかりに、世界が脱マスク・ワクチンの脱ブースター接種に舵を切る中、絶賛マスク着用を継続し、赤ちゃんへのワクチン接種も推進した。マスクもワクチンも自粛も各種感染対策も人間の自由を毀損するものだし、全体主義まっしぐらの方策である。

本来こうした規制や強制にはリベラル派が反対すべきだったのに、しなかった。恐らくアメリカのリベラル政党である民主党が、トランプ前大統領率いる共和党の「コロナ？そこまでビビる必要があるか？」に反対したことにつられたのであろう。


いつまで経っても終わる気配のない「コロナ対策禍」を見て、私はとことん日本がダサい国だと思ってしまった。そして2023年2月6日、確定申告を終わらせると同時に福岡空港発のエアアジア機に乗り、タイ・バンコクへ。この地ではコロナは終わっていた。「カンセンタイサクノテッテイヲー」のアナウンスは商業施設ではないし、飲食店にはアクリル板もビニールカーテンもない。マスクをしているタイ人はエリアによって異なる。バンコク銀行の本店があるシーロムエリアではマスクマンが多数派だが、外国人バックパッカーが多数いるカオサン周辺ではマスクマンは10％ほど。そして重要なのは、このようにエリアによってマスク装着率は異なれど、互いに干渉しない空気感が完全に醸成されていることである。実際、3ヶ月以上タイとラオスにいたが、「マスク着用しろ！」を強要するTシャツ屋と金の販売店以外では、一度たりともマスクについて何も言われなかった。

日本人である自分の感覚としては、外国人がいくらマスクをしていても構わない。なぜなら所詮タイにおいては異邦人であり、タイ人がタイで作り出す「空気」「風景」は日本帰国後には何も影響をもたらさないからだ。だが、日本国内で日本人がマスクを外さず、ワクチンを打ち続ければコロナは永遠に終わらないこととなる。だから、日本人にはさっさと外してほしかったのだが、頑なに外さないものだから耐えられなくなり、タイへ逃げた。結局、他者を変えることはできないが、自分のことは容易に変えることができるのである。

エアアジアの機内に入った瞬間、「このダサ過ぎる国からようやく離れられた」と心から安堵した。本稿はタイに来てから約70日経った2023年4月22日に執筆し始めたが、タイではコロナ対策関連においてストレスは一切ない。その間に行ったラオスでもなかった。そして、タイ、ラオスという本来日本人が見下していた発展途上国の方が、日本よりも「イケてる」と感じてしまったのだ。これが「ダサい日本」の根底にある。

2023年夏、アメリカに行った若い日本人女性が入国を拒否され、強制送還された。貧しい国から来た売春婦だと疑われたのは、日本の没落を象徴している。まるで、1980年代、フィリピンなどから日本に水商売のために来た「ジャパゆきさん」と呼ばれた女性のようだ。

日本は1980年代～2000年代にかけてはダサくなかった。だが、国際的な存在感が減少して以後は、日本的な国のありよう、人間の行動がダサくなったのだ。あくまでもこの二十数年間の世界においてはダサくなく見えていたかもしれないが、本質的にはダサい国であり、大きな変化が起きた時にはあたふたするだけで対応できない国であることを露呈させてしまったのだ。

なぜ日本はここまでダサくなってしまったのか。そして、そのダサさをいかに脱却できるかについて本書では考えてみたい。また、日本のダサさの震源地たる「東京」という街とそこをいかに離れ独自色を作っていくべきかを、佐賀県唐津市を拠点とする自身の実体験からも書いてみる。

「ダサい」という揶揄(やゆ)に対し「だよね」と同意できる人と、「日本は世界No．3の経済大国だ！　そんなに悪口言うなら日本から出ていけ！」と言う人の間には大きな差がある。残念ながら後者はもう終わっている。日本人のダサさを体現する人間である。貴殿らは本書では相手にしていないのでご安心を。

中川淳一郎

目次

第2章 海外脱出すれば分かるさ

第3章

こんな日本人に誰がした！

第4章 マスクが露わにしたこと

装幀　木村友彦
写真　初沢亜利（カバー）
　　　中川淳一郎（帯・文中）
　　　編集部（文中）

【第1章】

東京と、東京的なものの終わり

かつて東京がすごかった時、そしてこれから始まる絶望

1982年公開の映画『ブレードランナー』は、近未来（2019年）を描くSF作品だが、香港をイメージしたというネオンギラギラのシーンが登場する。ネオンの中には日本語も登場するが、リドリー・スコット監督が訪れた新宿・歌舞伎町の様子がこの演出のヒントになったという説もある。

まさに東京は未来的な街といったイメージがあった。1990年、「皇居の土地だけでカリフォルニア一州と同じ金額」とさえ言われた。それだけ東京という街は世界的にも魅力的だったし、価値がある街だった。

そうした過去があったうえで、2023年1月22日の英・BBCの日本語版『BBC NEWS JAPAN』に『日本は未来だった、しかし今では過去にとらわれている BBC東京特派員が振り返る』という記事が公開された。著者は1993年に日本に赴任したルーパート・ウィングフィールド＝ヘイズ・BBC東京特派員（元）だ。同氏はこう綴（つづ）った。

〈自分が行ったことのあるアジアのどこよりも日本ははるかに裕福だと、当時の私は感じて、そのことに驚いた。アジアの他のどの都市よりも、いかに東京が見事なほど清潔できちんとしているか、そのことにも驚いた〉

そのうえで、香港の「格差」や台北の「騒音と排気ガス」について言及し、こう続ける。

〈当時の香港と台北がアジアのやかましい10代の若者だったとするなら、日本はアジアの大人だった。確かに東京はコンクリート・ジャングルだったが、美しく手入れの行き届いたコンクリート・ジャングルだった〉

同氏は日本人女性と結婚をし、２０２３年、イギリスに戻ることとなったが、日本への愛着を述べつつも、現在の絶望的な状況についての分析を続ける。

〈日本のスマートな新幹線や、トヨタ自動車の驚異的な「ジャストインタイム」生産方式を思えば、この国が効率性のお手本のような場所だと思ったとしても仕方がない。

しかし、実態は違う。

むしろ、この国の官僚主義は時に恐ろしいほどだし、巨額の公金が意義の疑わしい活動に注ぎ込まれている〉

〈新型コロナウイルスのパンデミックが起きると、国境を封鎖した。定住外国人でさえ、帰国が認められなかった。何十年も日本で暮らし、ここに自宅や事業がある外国人を、なぜ観光客のように扱うのか、私は外務省に質問してみた。返ってきたのは、「全員外国人だから」という身も蓋もない答えだった。無理やり開国させられてから150年。日本はいまだに、外の世界に対して疑心暗鬼で、恐れてさえいる〉

人口約1・25億人の日本のGDPは1992年に505兆円だったが、30年間さほど伸びず、2022年は552兆円になる見込みで9・3%増。一方、人口約8300万人のドイツは1992年に1兆7020億ユーロだったが、22年は約3兆8000億ユーロと123%増（2・23倍）となった。2023年はGDPでドイツに抜かれ、日本は世界4位になる見込みだ。

2022年の出生数は統計開始以来、最低の79万9728人で、死亡者数は逆に最多の158万2033人。極端な少子高齢化の影響と、高齢者優遇を続けた2020年から始まった新型コロナ騒動により、日本の人口は急激に減った。死亡数と出生数を2019年から2022年まで並べてみる。

2019年：【出生数】86万5239【死亡数】138万1093【自然増減】△51万5854

2020年：【出生数】84万835【死亡数】137万2755【自然増減】△53万1920

2021年：【出生数】84万2897【死亡数】145万2289【自然増減】△60万9392

2022年：【出生数】79万9728【死亡数】158万2033【自然増減】△78万2305

完全に衰退国一直線という状態になっているが、散々高齢者優遇の政策を30年以上やり続けたツケが来たとしか言えないだろう。遠くない未来に【出生数】61万2493【死亡数】193万3904みたいな時代も来るかもしれない。

東京は、もういいや

日本全体の衰退はかつて輝いていたスーパーシティ・TOKYOの衰退をも意味する。或(ある)いは東京だけは人口が増え続け、他の地方都市が軒並み限界集落になる未来が来るか。後者のような状態になると、東京だけネオンが燦然(さんぜん)と輝き、至るところに摩天楼があり、日本の富の90％がここで作られるような世界になる。そして映画『バットマン』シリーズに登場する「ゴッサムシティ」のように格差の激しい社会となり、犯罪の横行や治安の悪化も進むことだろう。

そうなると「東京的」なもののうち、先鋭化した「富」の象徴はますます憧れの存在になっていき、地方民は絶望を抱くこととなる。そして東京都民は「シンガポールのように東京だけが独立国家になればいい」と言い出すかもしれない。それが実現した場合、日本という国自体はもう壊滅。東京だけが世界で存在感を示せるようになる。東京は独立し、農作物や畜産品、魚介類は「輸入すればいい。これまでと同じように」という発想になる。

とはいっても、「失われた30年」を経た今の日本にそんなパワーは残っていないわけで、想定できる未来は「共倒れ」だろう。「失われた40年」も現実的になってきた。ある程度の勝者は誕生するだろうが、圧倒的多数の貧乏人がこの国を形作るようになる。貧乏人からカネを巻き上げることは難しくなり、政府はいかに貧乏人に基本的人権に基づいた福祉を提供するかを考える。高額所得者への累進課税は激増し、これを理不尽と考える富裕層は海外へ出ていく。

安くなった土地は外国人に買われ、日本人は肉体労働力を提供する存在になる。日本国内における憧れの都市は、中華街やら「リトルラスベガス」みたいな外国資本によるものになるかもしれない。そして、それは1980年代から2000年代中盤まで輝いていた「東京的なもの」の終焉を意味する。

「はじめに」でも少し触れたが、この章では、かつて輝いていた「東京的なもの」を振り返りつつ、日本人個々人にとって東京的なものはさっさと捨てた方がいいのでは、という提案をする。私自身、人生のほぼすべてを東京で過ごした。10歳まで住んだ川崎市宮前区(東京的な場所の一つ)も含めれば42年間である。4年9ヶ月はアメリカ、2年8ヶ月を佐賀県唐津市、そして2023年2月から5月まではタイとラオスにいた。

これだけ長く東京にいた人間が「東京は、もういいや」と思った理由について本稿では考察してみる。もちろん東京は仕事がたくさんあるし、数々のイベントがある。世界的アーティストのコンサートやら美術展も東京で行われる。住むにあたってはいい街だろう。ただ、この街にいると疲れるのも事実だ。自分自身の結論としてはこうなっている。

若いうちは東京で馬車馬のように働いて一定の立場を得て、あとは東京から脱出すると幸せになれる

これを現に私は実現した。東京を脱出してまったく未練はない。東京は若者と、超金持ちと、安定した家を持った「上がりが見えた」高齢者にとって心地がよい街なのだ。いずれ帰ることがあるかもしれないが、それは実家が空き家になった時や親の介護が必要になった時だろう。或いはまだ働き盛りの妻（39歳）が東京に戻りたいと言い出した場合である。

東京の人は東京をこう考えている

東京について、【東京の人】、【地方の人】はこのように考えている。ポジティブなものとネガティブなものに分けて考える。なお、【地方の人】については、【東京の人】が抱くポジティブ・ネガティブに追加できるものを記す。

【東京の人・ポジティブ編】

・仕事が選び放題
・ありとあらゆる種類の最新の娯楽が楽しめる
・外タレのライブ、各種イベント等のメイン開催地は東京
・美術館等の「〇〇展」の開催期間がもっとも長いのは東京
・進学先の選択肢が豊富
・自宅から大学へ通える
・人が多いため、誰かが誰かを紹介する人脈の高スパイラルが発生する
・交通網が便利
・世界中の料理が集まり、レベルが高い
・多種多様な食材やスパイスの購入が可能
・日本全国の都市へのアクセスが良好
・出会いが多い
・習い事等の機会が多い
・レベルの高いホワイトカラーが全国から集まっている
・給料が高い

・街を歩いているだけでティッシュがもらえる
・人が多いため埋没できる
・一度失敗しても目立たずに生き続けることができる
・地元のニュースが全国区のニュースであり続けている
・ありとあらゆるチェーン店が揃っている
・同窓会等を開きやすい環境にある
・同業種の人と出会いやすく、情報交換がしやすい
→人生を好転させる条件が揃い、かつ刺激に満ちて最先端のものが揃った素晴らしい街である

【東京の人・ネガティブ編】
・人が多過ぎ。特に満員電車、飲食店、テーマパーク、電車のチケット販売所等の行列
・渋滞が多く、昼のタクシーなどは時間が読めない
・家賃が高い
・物価が高い
・やたらと「肩が触れた」「足を踏んだ」などで諍（いさか）いが発生

・電車内でマナーの悪い者（イヤホンから音が漏れる／股を大きく広げて座る等）が多過ぎる
・通勤・通学時に殺伐（さつばつ）としているというか、ギスギスとした雰囲気が流れ過ぎている
・酔っ払いが大量に歩いていて、いつ絡まれるか分からない
・とにかく人数が多過ぎるため「カーッ、ペッ」などと痰（たん）を吐いたりする者がいたり、そこかしこにゲロが落ちている
・フェラーリ等の超高級車で爆音を鳴らし、「どや、オレは勝者だ」と勝ち誇るヤツをよく見かけ、劣等感を抱くに加え、不快感を覚える
・排気ガスが多過ぎる
・夏は暑過ぎる
・一旦雪が降ると交通網がズタズタにされ、帰宅難民になる
・タワーマンションや居住エリアにより「格差」を感じることがある
・金持ちと貧乏人がはっきりと分かれている
→要するに人口が多過ぎるのと、格差がハッキリとし過ぎているのである

あと、マイナーなところでは「駅や公共交通機関のアナウンスや家電量販店、パチンコ屋等から鬼のように流れる騒音」といった点がある。これについては哲学者・中島義道氏の著書『うるさい日本の私』（角川文庫）を読むと分かるが、絶叫アナウンスや悶絶巨大騒音ＢＧＭは多くの人にとっては「常にあるもの」的に捉えられており、住宅以外での騒音を問題視する人は少数派のようだ。

地方の人は東京をこう考えている

【地方の人・ポジティブ編】

・地元の「寄合」的なものがない

・人間関係が希薄で他人がプライベートな空間（物理的・精神的）に入ってこない

・自分の行動が周囲の人に筒抜けにならない

→総合的に見ると「プライバシーが守られている」という点に行きつくが、年を取ると「この相互扶助は素晴らしい」と思うことがある

【地方の人・ネガティブ編】

・お金とは関係のないところでの助け合いがない

・何かと食料をもらえない
・空気が汚く、野菜はマズく高い
・やたらと人々がマウントを取り合い、悪口を裏で言っている（地方の場合、悪口を言うと「○○さんが××さんの悪口を言っていた」という事実がすぐに広がるため、悪口を極力言わないという文化が存在する）
→総合的に見ると「人間関係が希薄であり、それはイザという時、自分を助けてくれない」と思うことがある

そして、ここに割って入るのが私のような【東京を存分に味わい『もういいや』と思った人】——珍しい存在である。この場合は「地方のポジティブな面」「地方のネガティブな面」を論じることとなる。なお、私自身は「濃厚過ぎる人間関係」が存在するド田舎ではなく、唐津の中心街というコンパクトシティの「半都会」的なところからの視点だ。もちろん、唐津市は広大なため、ド田舎エリアに住む人とも交流はある。しかし、感覚としては東京時代とあまり生活の便利度合に変化はなく、食や文化面で快適に生きている。ネットがあればいかようにでもなるのだ。

地方で生きるのが向いている人・向いていない人

【地方のポジティブな面】

・前記【東京の人・ネガティブ編】がないこと。そしてその逆がある点
・前記【東京の人・ポジティブ編】をさほど利点と思わない点。1万4000円払って海外アーティストの公演など見なくてもいいし、各種イベントや展覧会にも行かないでいい
・なぜか野菜や肉、手作りのパンなどをもらえる。それに対しては自分が野菜を収穫したり釣りをした時におすそ分けをする。こうした人間関係は案外心地よい
・気の合う人が近くに集結しているため、すぐに会うことができる。気の合わない人とはそもそも接点がない
・家賃が安い
・一生そこに住む、と決めた場合、住宅取得が容易
・魚介類と野菜、果物が新鮮で安い

【地方のネガティブな面】

・やはり仕事は東京に集中しているため、時々東京に行かなくてはならず、その際の時間と交通費・宿泊費がかかる点
・都市ガスが整備されておらず、プロパンガスのエリアではガス代が高い
・電車が滅多に来ない。終電の時刻が早い
・車がないと買い物がしづらい
・行動が筒抜け。誰とどこにいたか、などがバレてしまう
・必ずしも物価全般が安いわけではない
・パクチーやスパイスなど、エスニック系の食材の入手が困難

　このように、【東京を存分に味わい『もういいや』の境地に達した人】にとって、地方でも十分にQOLの高い人生を送ることが可能だ。東京、そして「東京的」なものについては様々な論点があることだろう。「衰退国家・日本における東京の位置づけ」「世界の大都市の中における東京の位置づけ」などに加え、憧れの存在だった東京の今などについてテーマは多数ある。

　また、長渕剛（鹿児島出身）やさだまさし（長崎）、吉幾三（青森）などのミュージシャンは東京について歌ってきた。『とんぼ』『東京』『俺（お）ら、東京さ行ぐだ』である。それは、反発だったり憧れだったりはしつつも、故郷への愛情もセットになっている。そんな人々を引き付ける「東京」を今一度考えてみたい。なお、私は社会学者でも土地研究者でもなくライターである。強いて専門分野を挙げるなら「インターネット論」がまず来るが、ここ10年ほどは社会・ネットを覆う「空気」「人々の気持ち」について散々分析をし、社会批評をしてきた。これまでその手の仕事は続いているわけで、今回も空気と人々の気持ちといった観点から東京を題材に考察してみる。

東京脱出していて本当によかった

コロナ騒動において一つ本当によかったのが、東京を脱出できていたことである。もしも東京に住んでいたら、公共交通機関や商業施設でのマスク圧は相当強かっただろう。ただでさえ「過剰アナウンス大国」の本丸である東京。毎日何十回も「他のお客様の安心・安全のため、鼻まで覆うマスクの着用をお願いします。皆さまのご理解・ご協力をお願いいたします」を聞き続けることになったはず。幸い、唐津ではそこまで「マスク圧」はなかった。男子小学生の多くは、２０２１年であっても放課後にマスクを外していた。

田舎では高齢者が多いこともあり、マスクの着用は徹底されているイメージはあるだろ

東京時代の仕事場にて。東京で信用の貯金を作ったから今がある！

うが、唐津という人口約11万人の市は絶妙に自由だった。もちろん着用する人は他の街と同じような割合だったと思うが、「マスクをしない変人」がつるむ土壌がなぜかあったのである。

　結果的に私はコロナに関し違和感を持つ地元の人々とつるみ続け、今に至る。まさか50歳を前にこんなに大勢の友人ができるか！　と驚くほどである。

　とはいっても、自分自身、東京へは大いに感謝している。結局、今唐津で穏やかに生きていられるのも、東京時代の貯金、信用の貯金があるからだ。どう考えても、東京以外の場所でキャリアをスタートさせていれば、今のように好き放題文章を書ける生活にはなっていない。

地方でできることは数あれど、メディア人として仕事が殺到する状況を作り出すにはやはり東京以外の選択肢はあり得ない。20代・30代のうちに大量に仕事をこなし、ツテを作り、40代後半以降はそれほどあくせく働かずに済むだけの信用の貯金を作っておきたいものである。一旦その状況に到達してしまえば、あとはその貯金を取り崩さぬよう気を付けながら少しでも長く生きられることだろう。

地方出身者ほど東京への執着が強くなる謎

なぜ、私が東京から脱出したかといえば、東京への執着がないからである。元々東京は「田舎者の集まり」などと言われてきたが、それは正しい。大学進学や就職で東京に出た地方出身者が地元に戻ることなく東京に定住する例は多数ある。私の母も福岡出身だが、東京に定住している。福岡に戻るつもりはないようだ。

あくまでも私の実感と生まれてから東京にいた人間としての偏見ではあるものの、「地方出身者ほど東京への執着が強い」ということは感じる。なんというか、「東京で成功したオレ」をとにかく重視している感じがするのだ。

その象徴が「子供を私立の学校に入れる」「タワーマンションを購入する」「小さいがデザインの良い一軒家を買う」「外車を買う」にある。当然仕事上、東京にいる必要はあるのだが、案外東京出身者ほど容易に東京から離れることができる。それは小さな頃から「当たり前」の存在だったから、「東京で肩で風切って歩くオレ、イケてる」的感覚や、「東京で一花咲かせた」といった感覚が一切ないのだ。あくまでも東京での生活は日常であり、ここで成功しようが失敗しようがどちらでもいい。

東京在住地方出身者は多少なりとも「地元を捨てた」といった捉えられ方をされることがある。「お前は東京で何かを学んだ後、地元に還元するんだよな」といった期待を受けて東京に出るが、そこで仕事を得たり配偶者を得て子供を学校に通わせると、もう故郷には戻れなくなる。本人は時々地元に戻ると「やっぱり地元はいいなぁ」などとSNSに書くが、東京生活への満足感の方が高い。あくまでも帰省は非日常的だから、その数日間が素晴らしいだけだ。そして、地元の友人が「お前は東京で活躍できてすげーな！ オレなんてここしかないんだよ……」などと言った時に「いや、お前の方が人間らしい生活を送ってるから羨ましいよ」と言いつつも、本当は自分の方が上だと感じている。そして、心のどこかには「ケッ、外に出られないヤツめ」などと思っていたりもする。これは実際に地方出身で東京でうまくやった人々から「正直ベースで言うが……」の前置きで聞いた話である。

また、私は連日のようにネットで悪口を書かれるが、その際、時々目にするのは「田舎からバカなことを言ってやがる」「都落ちしたヤツのくせに」「九州の田舎者は黙ってろ」といった言葉である。それだけなぜか東京に住んでいるだけでエラいと考えている者が一定数いるのだ。だが、私はお前らと異なり、東京だけでしか生計を立てられない者ではない。東京では当然、地方でも生きていけるのである。見下す要素が「オレは東京に住んでいるが、お前は地方に住んでいるだけ」というのは実に情けないし、卑屈である。別にお前が東京を作ったワケじゃねーだろ、と思うのである。

仕事人として一線を退いた者に東京の利点はない

それだけ東京が気に入ったのであればいいのだが、地方出身者でそこそこ東京でうまくいった者は、東京に拘泥しがちなのだ。現役を終えた段階で果たして東京の方が過ごしやすいかといえば、そんなことはない。何しろ人が多過ぎるし、高齢者で杖をついていたりすると、周囲の早過ぎる動きにはついていけない。よろよろとゆっくり歩いていたりしたら、「チッ」と舌打ちをされて追い抜かれることもあるだろう。東京の良さは「若いうちに仕事でチャンスが多い」ことにあるのだ。或いは「全国から優れた人間が集う」もあるだろう。だから、仕事人としての一線を退いた場合はあまり東京の利点はない。ただただ人が多く、知名度の高い飲食店があるだけだ。それに魅力を感じるのであればいいのだが、私自身、唐津で自然が豊富で競争があまりなく、人々がマウントを取らない空気感に包まれているのは快適だ。

東京にいると延々と競争に巻き込まれてしまう。それこそ、孫がいるような年齢になっても、どこの私立中学に入ったやら、どこ大学に入っただのといった競争が否応なしに存在する。地方であれば、せいぜい「この市（町、村）で頭のいい高校」「この市（町、村）でそこに入れなかった生徒が行く高校」程度の差しかない。そして、どちらの高校に行こうが、家業を継いだり、何らかの技術を両方の高校出身者が得てライバルにはならず、尊重し合う。これが本当に、東京の競争社会に毒された自分にとっては心地よい。東京では同じような業種の人々と付き合うことが多いだけに、「ワシの方が活躍している」「ワシの方が著名人と知り合いだ」的競争に巻き込まれがち。コレが地方にはないのである。

ただし、ここからは東京の懐の深さに入っていくのだが、東京には「戻ったとしても受け入れてもらえる」という安心感が存在する。仮に60歳の時に親が死に、空き家になった家をどうするか、と考えたとしよう。その時にその家にすんなりと住めるし、いい意味で近所関係も無関心だから勝手にその家で快適な生活を送ることができるようになるのだ。田舎のように過度な詮索はなく、「あら、お父さん亡くなったから引き継ぐのね」ぐらいの関心の中で新生活を開始できる。或いはその親の家を売り払い、駅近くの家に賃貸で住んだとしても、自分の身元を詮索されたり、警戒を持たれることはないだろう。

東京に執着はしないまでも、適切なタイミングが来たら、東京は自分を受け入れてくれる街である、という安心感は本当に存在する。

「東京がすごかった時代」はたしかにあった

一旦地方に住んでみると、東京のすごさはよく分かる。何しろ、中央官庁はすべて揃い、かつて世界で絶大なる存在感を示した名だたる企業の本社が多数存在するのだ。日本文化は世界にそれほど広まらなかったのでそこはさておき、一時期世界で圧倒的存在感を示した「経済」の面において東京は1980年代前半～1990年代前半はニューヨークと並ぶ世界一の都市だったと言っていいだろう。

1983年に『ビッグコミックスピリッツ』（小学館）で連載が開始した漫画『美味しんぼ』の初期のストーリーを読むと、当時の東京の雰囲気が見えてくる。世界の名だたるレストランがこぞって東京に店舗を作り、そこに金持ち日本人が多数訪れる。そこに集う自称・食通はフォアグラがウマいだの「ここにあるもので一番高いものをもってこい！」と言う。挙句の果てには「経済大国日本様様ですね」などと言う。マドンナやマイケル・ジャクソンが東京ドームでツアーをすれば、連日満席に。当時最強だったボクシングヘビー級のマイク・タイソンの防衛戦まで東京ドームで行われる。

東京に行けばカネが稼げる、ということでイラン人が大挙して東京に住むようになった。「3K」と呼ばれる「きつい・汚い・危険」な仕事をやるためだ。1990年代前半は偽造テレフォンカードを売る者が現れたりもしたが、それはバブル崩壊の影響もあったことだろう。とにかく当時の東京は華やかで、大学生カップルがクリスマスにはフレンチやイタリアンの高級店で食事をし、そのままシティホテルに泊まり、アツい一夜を過ごすなんてこともやっていた。第1章の冒頭でBBC東京支局のルーパート・ウィングフィールド＝ヘイズ氏による東京への高評価を見たが、かつての栄華がまだ残っていた1993年の話だ。

著名観光地にしても浅草、皇居、東京タワー、東京スカイツリーといった中核のものがありつつも、多くの駅とその周辺でさえ半日〜一日は楽しめるような場所になっているのだ。谷中・根津・千駄木の「谷根千」、そこに上野を合わせれば十分な観光の一日を過ごせる。こんな都市は世界にもあまりない。

唐津引っ越しから初期の頃は月1回、2022年からは2ヶ月に1回、東京で『ABEMA Prime』という報道番組に出るようになった。当然毎度、東京のデカさと人の多さに驚くが、すごいのが駅ごとに見事なまでの特色を持っている点である。海外へ行くと、一つの巨大な街で行くべき場所がガイドブックで紹介されているが、東京は一つ一つの駅の中に行くべき場所がいくつも存在するのだ。

ＪＲ中央線の駅を適当に降りたとしても活気に溢れ、駅前の繁華街は世界中の料理を食べることができる。東京を起点に東京ディズニーリゾート、横浜中華街、江の島、鎌倉、熱海、伊豆などへも良好なアクセスがある。

そして、「東京都下」と格下扱いされつつも、日本9位の福岡県（５１２万人）と10位の静岡県（約３５８万人）の間に入るのが、人口約４２０万人の多摩地区である。観光ガイド本『地球の歩き方』（学研プラス）の「多摩地域」版が出た理由も納得できる。

とにかく世界有数の大都市である東京は１９６０年代から輝き始め、そして１９８０年代に星の中でもっとも明るい一等星であるシリウスのごとく燦然と白く輝き、以後衰退を続けて赤き一等星の中の老星・ベテルギウスのようになったのである。そして、今も人を惹きつける都市ではあるが、正直この街の混雑度合、競争の激しさに精神をやられてしまった人はそこそこいるのではなかろうか。

50歳を目前にして「いるべき街」ではなくなった

もちろん魅力的な都市ではあるが、世界における相対的な魅力でいえば年々そのランクを落としていることだろう。「衰退途上国」とも揶揄される日本において、東京は最後の希望なのかもしれないが、もうイケてる街ではない。ある程度の基盤をこの街で作った後はどこか別のところへ行く方がいいのでは、と50歳を目前にして考えるようになったのだ。

そして、今、東京が新たな都市開発をしているのを見ると、どことなく哀愁を感じてしまう。２０２３年4月14日にオープンした東急歌舞伎町タワーは、地上２２５ｍの中に高級ホテル、ライブハウス、劇場が完備されたバブルっぽさと人間のプンプンとした欲望が凝縮されたような施設である。ここで日常的に遊べる人はわずかだろう。もちろん足を踏み入れるだけならばタダだし、海外オタクが好きそうなガチャポンをＧＥＴする程度ならばできるが。

もう、日本人は貧乏なのだ。２０２１年の東京五輪と２０２３年の野球の世界一決定戦・ＷＢＣの時期は、「海外の記者が日本のコンビニスイーツのレベルに感激！」的な記事がネットに多数登場。この手の記事がアクセスを稼ぐことを知った各メディアは、ＷＢＣ後もＪリーグの「スタジアムめし」を外国人が絶賛している様を紹介した。その中でも特に哀愁が漂ったのが、カツ丼が１５００円（12米ドル）であることにアメリカ人が「このクオリティで12ドルは安い！　ＭＬＳ（米サッカーリーグ）だと37ドルはするぜ！」と書いた。

この記事に対しては日本の食のおいしさを誇る人もいたが、『Ｙａｈｏｏ！ニュース』のコメント欄を見ると「チケット代に加え、交通費もかけてスタジアムに行っているわけで、私には１５００円のカツ丼なんて食べられません。事前に食事は済ませてきます」的な嘆きも多数書き込まれていたのだ。

そして、『東洋経済オンライン』が4月11日に公開した『絶好調の「伊勢丹新宿店」を支える顧客たちの正体　22年度の売上高がバブルの最盛期越える公算』という記事も哀愁が漂う。記事はこのように始まる。

〈三越伊勢丹ホールディングスが4月3日に発表した3月の売上高（速報値）によると、伊勢丹新宿本店の3月度売上高が前年同月比24・8％増を記録した。２０２２年4月以降は12カ月連続でコロナ禍前の２０１８年度を上回るペースで推移しており、２０２２年累計では１９９１年度の過去最高売上高（３０００億円超）を上回る見込みだ。

２０２１年度の国内百貨店売上高は4兆４１８３億円で、１９９１年度の9兆７１３０億円から百貨店市場が大幅に縮小していること、インバウンド需要が本格的に戻ってきたのは今年に入ってからということを考えると、にわかには信じられない好業

伊勢丹新宿店の独り勝ち状態。

績である〉

百貨店業界全体は低迷しているものの、伊勢丹新宿店という旗艦店が絶好調である理由について、記事では資産1億円以上5億円未満の「富裕層」と5億円以上の「超富裕層」が優良顧客となり、彼らへの手厚いサービスにより、好業績である様を報告する。かつて百貨店というものは「ちょっと贅沢な休日の家族のレジャー」で、最上階の大食堂で食事をとり、屋上の簡易遊園地で子供達が楽しむ様は「庶民にとってのささやかな贅沢」であったが、完全に富裕層しか行かない場所になるのだろう。

島根県でも2024年1月14日をもって県内唯一の「一畑百貨店」はなくなる。私のいる佐賀県でも県庁所在地である佐賀市の「玉屋」が唯一の百貨店であり、2023年8月27日をもって7階の飲食店街が閉鎖された。

それはそれで企業の戦略ではあるが、2000年代中盤まで普通の仕事人が家族に提供できた娯楽をこれからの仕事人は提供できなくなることを意味する。「親父は立派だったのにオレときたら……」なんて嘆く30〜50代も出てくることだろう。そして、東京はイギリスのごとく階級社会となり、階級ごとに行く店が異なるようになるだろう。東急歌舞伎町タワーにしても、普通の人は華やかに着飾った金持ちが楽しそうにビルに吸い込まれている様を遠くから見るしかなくなる。実に哀愁漂う未来絵図ではないか。

制服も含め、日本は「皆同じ」という空気感はあった。貧乏人でも節約し、カネを貯めれば高い店にも行くことはできた。しかし、階級ができてしまうと、空気として「入ってはいけない店」が誕生するのである。

私はなぜ東京から唐津へ移住したのか

すでに記したように、私はこれまで東京（含む川崎市宮前区）に約42年住んできた。その他に住んだのは、アメリカ・イリノイ州に4年9ヶ月、佐賀県唐津市に2年8ヶ月、そしてタイ・バンコクに3ヶ月となる。まぁ、バンコクは「住んだ」というほどではないが。

そういったことから、東京には愛着があるし、何しろ勝手が分かっている。友人も仕事仲間も圧倒的に多いのは東京（を含む首都圏）である。現在でも東京の仕事が97％だ。

イヤな点といえば、前出【東京の人・ネガティブ編】で挙げた通り。基本的には「人が多い」ことだけだ。しかし、なぜ「脱出」するほど「もういいかな……」と思ったのか。何しろ、2022年、転入者が転出者を上回る「転入超過」は東京は3万8023人だったのだ。約80万人の人口が減った日本でこの数字は東京の魅力がよく分かる数字である。

これまでに多くの移住者が「なぜ東京を離れたか」をメディアのインタビュー等で説明してきたが、彼らの多くは「地方でやりたいことがあった」とその動機を語る。一方、私は「東京はもういいかな……」という気持ちになった。飽きたとかそういうわけではなく、これ以上東京に執着しないでいいと感じたのだ。そしてまったく異なる人生を送ればそれでいい、という諦めモードになって唐津に行ったのだ。

要するに「世捨て人」になりたかったのかもしれない。そしてメディアに登場する移住者とは異なり、後ろ向きな理由で東京を含めた首都圏から脱出した。本来こういった姿勢も取材されるべきだと思うのだが、基本的にメディアは前向きに地方生活をした人々を取材する。

一つの考え方としては、東京という街は、若者にとっての登竜門として存在すべき、というものがある。激しい競争社会で鍛えられ、その後の人生の選択肢を増やしてくれるのが東京という街なのだ。だから、東京である程度やり切ったと考えれば地元に戻るもよし、そして完全に縁もゆかりもない場所に行くもよし、である。しかし、いずれ東京が恋しくなったり、やはり東京でなくては生活が成り立たなくなったのであれば戻るという選択肢もある。それを受け入れる度量の深さを東京は持っている。

すでに家を購入しており、終の棲家（ついのすみか）を東京と決めたのであれば、それは素晴らしいことであろう。だが、賃貸主義の人や、所有するマンションの価格が上がり「今が売り時だ」となった人などは、ある程度の年齢に達していたら地方生活に切り替えてもいいかもしれない。

ここからは、47歳当時、人口11万人都市・佐賀県唐津市に引っ越した実体験を記していく。

脱・東京で友人と疎遠になることを恐れるな

切り替えてもいい人は「もう東京、いや大都市はいいかな……」と思った人々だ。定年退職したり、フルリモートで仕事できる人は一気に人生を変えてしまってもいいかもしれない。何しろ、東京の最大のメリットというものは、「仕事がある」ことなのだから。こう言うと「人間関係のほとんどは東京にあるから……」と心配になるかもしれないが、友人と疎遠になることを恐れる必要はない。物理的距離が離れると、むしろこれまでそれほど仲良くなかった人のことを友人だと思わされていただけ、ということが分かるだろう。

典型例が学生時代の友人だ。同じ部活やゼミだったため、在学中は頻繁に飲み会をしていたかもしれない。卒業後、20代の頃であれば、季節ごとに1回は会っていたかもしれない。しかし、いつしか自分にも家族ができ、子供が突然熱を出したりしてドタキャンが相次いだりすると疎遠になっていく。

そして50代後半くらいになってくると、思い返せば彼らと会ったのは卒業30周年を記念した5年前の大規模同窓会だったりする。あの日は懐かしい顔にも会えて楽しかったが、その後実際に会ったのはわずか３人。ただ、フェイスブックでは近況が分かっているのでまぁいいかと思っている。こんな状況が普通となってくる。

私の場合、東京を出たのは仕事量がＭＡＸの時で、東京脱出とともに一気にドッカーンと減らした。年収は5分の1になったと思う（あまり気にしないので具体額を知らないのだ。確定申告は社員と税理士に任せている）。

それまで週に最低4回は酒を飲むような人生を送っていたし、東京の特性上、飲み会に次から次へと人が増えていく。忙しい人が多く、21時から合流したり、下手すりゃ23時から合流ということもあるため、必然的に３次会まで延々続くことになる。となれば、この一晩で１万５０００〜２万円は使ってしまう。人間関係が多い人ほど東京にいるとカネが吹っ飛んで行くのだ。刹那的に楽しむにはナイスな日々ではあるが、長い将来を考えたら決してオススメできる生き方ではない。

東京脱出はこの生活からの脱出も意味するのだ。そして結果は良かった。唐津に来てから半年ほどは、たまたま会社員時代の同期が単身赴任をしていたため、彼と彼の知り合いと月に2〜3回飲むようなペースだった。妻と2人で過ごす時間が圧倒的に増え、穏やかな日常が開始した。ただ、若干人寂しさはあった。もっと言うと、自分は果たしてこの街で受け入れられるのか、といった不安もあったし、それがために人間的魅力について自信も失っていった。だが、佐賀・唐津の情報を発信したいと考える人々が原稿執筆依頼をしてくれたりするようになり、少しずつ知人は増えていった。これで最低限の人間関係は構築できた。

誰となら生涯付き合えるかがよーく分かった

そして、もう一つよかったのが、生涯付き合えるであろう人々がよーく分かったことにある。東京を去る前、最後に会った時に「今度唐津行くからね」と言った人々の多くが有言実行で唐津に来てくれたのである。そうした人々はリピーターになり、唐津でも知人が増えるようになった。

あとは、2021年8月27日、唐津のみかん農家・山崎幸治氏と初めて会った。この日は新型コロナウイルスの感染拡大に伴い、唐津が史上初のまん延防止等重点措置(マンボウ)に突入した日で、ノンアルで乾杯をした。元々ツイッター(現・X)で唐津在住者のことは積極的にフォローするようにしていたため、連絡は取れる状態にあった。だから会えた。山崎氏は、過剰な感染対策に疑問を持っているほか、親戚がいわゆる「ワクハラ」

唐津のみかん農家の山崎氏と。コロナ対策に同じ問題意識を持つ。

（ワクチンハラスメント）に遭っていることから、同じく過剰感染対策に批判的な私に連絡を取ってきたということだ。

この日、同じ年齢だったこともあり、我々は意気投合。酒が復活したらまた会おう、その時は同じ問題意識を持つ別の人やその親戚も連れてくると言った。そして実際に会い、これを契機に唐津の「過剰感染対策を疑問に思っている人々」が少しずつ仲間になっていき、一緒にイベントをしたりするようになっていくのだ。

さらには、ここから不思議な話になっていくのだが、全国から同様の考えを持つ人が唐津に集まるようになってきた。その中にはコロナ対応をする医師・児玉慎一郎氏、漫画家・倉田真由美氏、ジャーナリスト・鳥集徹氏、データアナリスト・藤川賢治氏、弁護士・青山雅之氏、獣医師・宮沢孝幸氏なども含まれている。彼らが唐津でイベントに登壇してくれたのだ。さらには世界的格闘家・青木真也氏も来て「大人の修学旅行」を約40人の規模で実施したのである。

この件については、唐津という一般的にはイメージがあまりない土地だったからよかったのかもしれない。もしも熱海や軽井沢に引っ越していたらわざわざ人がやってくる気にはなれないだろう。何しろどんな場所かのイメージがつくのだから。地元の人も「またスカした移住者がやってきたわ。お前ら閉じたコミュニティで東京自慢ごっこしとけ」と辟易しているかもしれない。

第二の故郷にふさわしい街はどこか

こうした経験を経て、「第二の故郷」を作ることが大事だと分かった。もちろん東京という第一オプションは持ちつつも、今は唐津がいつでも帰れる場所として存在しているのだ。人口11万都市ともなれば、必要なものはほぼ揃う。チェーン店も大抵はある。仮に今後別の場所に住んだとしても、年に2〜3回は「帰省」のごとく唐津に来て旧知の人々と酒を飲む、というのもこれは魅力的な人生ではなかろうか。

東京の次の土地を見つけたいと考える人への助言を述べる。移住をしようとする人はあまり保守的ではないだろう。だから保守的な土地柄が根強い街は避けた方がいいかもしれない。しかし、こうした保守的な街でも（唐津も含む）前出・山崎幸治氏のように変化を求めるタイプもいる。そして、この人を中心に同様の人物が揃っている。彼らは少数派ではあるものの、まぁ人から人へと繋がれば30人ぐらいはそういった人々と知り合いになれる。基本的にはこの手の人々との交流を深めればいいだけなので、あまり心配をする必要はない。小学校へ入る時の「ともだち１００人できるかな」はどうでもよく、大人は量より質を重視すべきである。

ただ、どう考えても県全体が保守的な場所というのはある。そこは保守率（というか「変化恐怖症」）が高いため、さすがに移住は難しい。下手すりゃ「出ていけ」などと言われたり、ゴミさえ出せなくなる恐れがある。そこは各自が見極めるしかない。

「地域おこし協力隊」が若者を中心に人気となったが、どうしても彼らと地元民はマッチしない気がするのだ。隊員は地元の活性化のために、色々変えたりＰＲをして外から人を呼ぼうとするが、人口が少ない限界集落等の人々からすれば、現状を変えたくない。ヨソ者が土足で入り込んで来て、歴史や風習を無視して好き放題やって、これまでの穏やかな生活を乱そうとしていると考えてしまうのである。

本当は「地域おこし協力隊」がマッチするのは、深い人間関係と土着性があるエリアではなく、人口5万〜20万人都市の開発・PRへの協力である。それこそ、東京で流行っているチェーン店を誘致したり、中央とのツテを活かし、メディアにその市の特産物を売り込むといった形である。その時、実際に接する地元民はある程度変化を起こしたいとの問題意識がある人々、いわば保守的な人からすればウザい地元民である。

私もこうした人々と多数喋ったが、彼らの言うことをまとめるとこのようになる。

「まぁ、頭の固い人は多いですが、彼らに従っていると街の発展はありません。別にあの人達、地元の土地とその周辺を守れればいいだけなので、〇〇市全体や、この市の特産品をキチンと全国に伝えられればいいし、人が来てくれればいいです。私も変人だと思われているようですが、それは構いません」

唐津移住はなぜ成功だったと言えるのか

過去に「二段階移住」という言葉が流行ったことがある。最初は県庁があるようなコンパクトシティに引っ越し、ある程度慣れて人間関係ができたところでド田舎へ引っ越す、ということだ。『人生の楽園』（テレビ朝日系）という移住して幸せな生活をしている人々を描く番組がある。同番組に出演する人の多くは、高齢者か間もなく高齢者になろうかという人々。会社員生活を終え、ふと昔からの夢だった古民家カフェや農業をやりたいと考え、移住する、という展開になる。

ここでは彼らが地元の人から受け入れられている様が描かれるが、その人が相当努力したからであろう。あと、案外多いのが「妻の地元に夫も一緒に帰ってきた」という展開である。となれば、受け入れられやすさは各段に上昇する。だから、この番組を見て安易に移住に夢を抱くべきではない。

私の２年８ヶ月（２０２３年10月現在）の唐津生活は成功だったと言ってよいだろう。友人はそれなりにできたし、全国から人がやってくるようになったし、仕事で知り合った人々とも飲みに行ったり釣りに行ったりもする。地元には行きつけの飲食店がいくつもでき、アウトドアアクティビティにも誘ってもらえる。地元紙・佐賀新聞でもコラムの連載をさせてもらっている。ただ、唐津以外でここまでうまくいったかといえば、そこはよく分からない。

すべては時の運だったのではなかろうか。ただ、なんとなく富山・松山・宮崎あたりだったらうまくいったのでは……といった感触はあるのだ。規模はこの3市の方が圧倒的に大きいが、「気風」といったものが似ているような気がする。唐津で良かったことを以下に挙げる。

【人間関係】余計な関係性を断てたこと。「お付き合い」的な会合に参加し、カネを使わないで済んだこと。保守的な佐賀県民ではあるものの、唐津をはじめ、変化を良しとする各地の人々と繋がれたこと。

【趣味】東京時代は仕事三昧だったためできなかった釣り、クワガタ取り、その他野外アクティビティができるようになったこと。

【新たな価値観】地方の人々の生活・考え方というのは、これまでの価値観にないものばかりだった。それこそ消防団に参加し、行方不明になった高齢者を探すといったことや、年代も職業もバラバラな人が共通の趣味を通じて付き合うことも新鮮だった。さらには唐津は特に強いが、旧市街の『唐津くんち』の曳山(ひきやま)のある「町」の人々が皆知り合いで、適宜会合を開いたり、唐津くんちの1ヶ月前には練習を開始し、町が一体化する様子を見られたことなどは貴重だった。

こうしたことにより、東京発の視点のみだった自分自身の文章にも幅を与えてくれたように感じられる。

悪かったことはまだ30代の私の妻（フリーライター）が、仕事のため月に1回は必ず東京へ行かなくてはいけない手間をかけていること、そして東京にいないがために仕事を獲得する機会を失わせたことだ。しかし本人も「それは納得済」と言っているので、やれるところまで唐津に住んでみようと考えている。

「東京○○」と名付ければOKというおかしな汎用性

ここで「東京」というものが一体何を象徴しているのかを考えたいが、ドラマや映画、曲、さらには施設において、いかように使われているかを見ると分かりやすい。東京ディズニーランドは本来「千葉」だが、世界から観光客が訪れることを考えれば妥当なネーミングだろう。「Chiba Disney Land」や「Urayasu Disney Land」では、海外の人からすれば、一体どこなのかは分からない。さらに、浦安市は東京都江戸川区の隣のため、「東京ディズニーランド」でも特に問題はない。成田空港にしても2004年まで「新東京国際空港」が正式名称だったが、「千葉空港」でない正当性も理解できる。何しろかつては唯一の東京への玄関口だったし、リムジンバスを使えば1時間ほどで東京に着くのだから。

しかし、茨城空港はさすがに無理があった。海外向けの愛称は当初「Tokyo Ibaraki International Airport」だったのだ。東京まで80㎞もあるため、これはさすがに撤回された。タイ・バンコクの中心部からそれほど遠くないスワンナプーム空港とドン・ムアン空港のような関係性だと外国人は思ってしまう。「名前詐欺」と言われても仕方がない。茨城空港関係者からすれば「東京」のネームバリューに乗っかりたかったのだろうが、さすがにソレはない。米軍による「横田空域」の影響もあり実現は不可能だが、仮に山梨県甲府市に国際空港ができたとし、「Ｔｏｋｙｏ　Ｋｏｆｕ　Ｉｎｔｅｒｎａｔｉｏｎａｌ　Ａｉｒｐｏｒｔ」だったら大ブーイングだろう。何しろＪＲ甲府駅から新宿までバスで2時間10分かかる。特急「あずさ」「かいじ」であれば1時間30分。空港から甲府駅までも数十分はかかるだろうから、最低2時間半だ。

娯楽作品についてもそうだ。柴門ふみの漫画『東京ラブストーリー』は、愛媛出身の男女を中心とした東京を舞台としたバブル期のラブストーリーだが、実にしっくりとくるタイトルだ。当時の東京の華やかなネオンやらイルミネーションと恋愛事情が重なり、ドラマ化もされて一大現象となった。

では、『網走ラブストーリー』だったらどうなったかといえば、恐らく「獄中恋愛ストーリー」になったことだろう。『有明海ラブストーリー』であれば、海

『東京ラブストーリー』
柴門ふみ・著（小学館文庫）

苔業者男女のラブストーリーないしは、ムツゴロウの求愛といったところになるか。このように、土地名を作品に付与させると途端にメッセージ性を打ち出すことになるのだが、「東京○○」はとりあえず好意的・最先端っぽさを醸成してくる。あとは異常に汎用性が高い。「東京○○」とするだけで、途端に作品として成立するのである。

『銀座ラブストーリー』も成立しそうだが、「銀座」の派生形である全国各地に存在する「○○銀座」にするとおかしなことになる。日本屈指の庶民派商店街である東京・品川区の戸越銀座であれば、商店街の人情話と若手の寿司職人と惣菜屋店員の恋愛などが成立しそうだ。それはさておき、私の地元・東京都立川市にある「栄町銀座商店街」を舞台にした『栄町銀座ラブストーリー』は、想像するだけでヤバそうである。２０２３年、シャッター街と化した商店街を１９８０年代、隆盛だった頃のように活気づけることを目指すべく奮闘する50代後半～60代前半の店主同士が町内会での定例会議や活動をしていくうちに、不倫ドロドロ町内会紛争に発展していくような作品になってしまうのだ。

逆バージョンも違和感ありまくりで、『俺ら、東京さ行ぐだ』を『俺ら、長万部（おしゃまんべ）さ行ぐだ』にすると、途端に蟹漁船に憧れる若者の話になる。『俺ら、上小阿仁（かみこあに）村さ行ぐだ』だと、医師が次々と辞める村で医療体制を立て直そうとする医師の話になる。

「イメージの良い地名」を探してみると……

ちなみにこの秋田県上小阿仁村は、ネット上では「いじめの村」などと呼ばれており、とにかく医師が定住しない村として知られる。『ＮＥＷＳポストセブン』に２０１１年11月25日に掲載された『ネットで「悪の村」と指弾された上小阿仁村長が「いじめ」に反論』からその様子を見てみる。人口２７００人・65歳以上率45％というこの村では、２００８年から２０１１年までにやってきた医師がとにかく定住せず、４人が次々と辞めていったという話だ。記事では、同村の村長（当時）・中田吉穂（よしお）氏へのインタビューが掲載されている。

基本的には「苦しい言い訳」としか取れない発言が続くのだが、やはりヨソ者がド田舎に住むのはキツいもの。同記事内には以下の記述がある。

〈ことの発端は、この村で公募した村の診療所勤めの医師が、08年からの4年間で4人とも短期間で辞めていったことである。とくに２０１１年5月30日に2番目に辞めた女性医師に対して一部村民から言いがかりのようなクレームがあったことを、前村長が村の広報誌で紹介した。

《まったく「いじめ」と思われる電話もあるそうですが、このような不心得者は、見つけ出して、再教育の必要があるようです》

《このような不心得者は、わずか5～6人に過ぎないことを確認しております》

その後も医師が辞職するたびに、「いじめがあった」とネットに書き込まれるようになった〉

中田村長はこういった意見については否定をしているが、ここまで短期で医師が逃げるというのは、同村全体の体質はさておき、よそ者が来ることを嫌がる勢力が一定数いたことを意味するだろう。

話を戻す。上記のような「東京〇〇」の汎用性の高さについてツイート（現・ポスト）したところ、〈山中湖ラブストーリー、琵琶湖ラブストーリーなど「湖」がつけばいいイメージになる〉というツイートをもらったことがある。

これに対して私はこう答えた。

〈沖縄の漫湖はさすがになさそうですね…　いずれにしても「イメージの良い地名」ってのは間違いなくあり、きっかけは歌や映画であることも多いのでしょうが、「襟

裳岬（森進一）」、ガーラ湯沢（ＣＭ）とか。ここらへんはちょっくら現在書いている文章でも考察してみます。色々ヒント、ありがとうございます〉

それにしても平成の大合併で誕生した「ひらがな市」の魅力のなさよ……。元々歴史的意味があった漢字の意味が消えてしまった。そうなると「三菱東京ＵＦＪ銀行」「第一勧業銀行」など、合併前の各社へ忖度（そんたく）した名前の方が味わいがある。「りそな銀行」って何だ？　あ、そういえばＵＦＪ銀行も三和銀行と東海銀行の合併名だったな。

「地方から日本を元気に！」って本気で言ってるのか？

新型コロナ騒動におけるマスクとワクチンの強要は自分にはキツいものがあったが、東京にいた場合と比べたら唐津はゆるかったといえよう。マスク圧は東京よりも少なかった。だが、前述の通り、メディアが東京情報を出すものだから、東京同様の危機感を持つに至り、さらにはテレビばかり見ている高齢者が多いため、東京以上に恐れた人もいたことだろう。

だからこそタイへ行った後、ツイッターで自分の写真を投稿すると「穏やかな顔になった」「険がとれた」「無理してたんだね」などの声が寄せられた。多分唐津といえども多少の緊張感はあったのだ。

東京に引きずられる地方都市だが、ここでは果たして地方に希望と未来はあるのかについて考えてみたい。残念ながら難しい。よく、政治家のスローガンで「地方から日本を元気に」というものがあるが、「お前、本気で言ってるのか？」と毎度思う。というのも、基本的に地方は人材の供給源としての価値はあるが、産業があまりにも少ない。他に提供できるのは農産物・海産物・畜産物・林業に加えて観光業である。とてもじゃないが日本全体を元気にさせるものは生み出しにくい。大量の石油が埋蔵されていることが分かったり、突然金やレアアースの一大生産地が生まれれば別だが、それはあり得ない。

北海道のニトリのような全国展開する会社はあれど、札幌という大都市発の企業であるし、今では「東京本部」が重要な役割を果たしている。スズキやヤマハなど浜松に本社を構える会社も同様だ。

地方発の情報は、Ｙａｈｏｏ！ニュースの「地域」カテゴリーでようやく読める。さらに、災害と重大事件のみが全国に広がる。「地方から日本を元気に」はやりづらいのだ。「大都市から日本を元気に」が実態なのだ。理由は、大都市（特に東京）発の地方交付税が地方都市を存続させ、大都市の人々が地方からのモノを買い、観光へ出かけるからである。

実際自分が現在地方都市に住んでいると、このスローガン達成はかなり難しいと感じる。まず、高齢化が激しいうえに、若者が仕事を求めて都会へ行ってしまう。この時点でもう困難であることは明白だろう。唐津の場合は、「見事な甘さのトマト」や「生でも食べられるサバ」「透明なイカの活け造り」といったところに頼らざるを得ない。プログラミングの技術を持った人も地方にいるだろうが、その技術は結局都会の企業の下請けとして使

モノカキ業務は少ないが、イカは絶品！

われることとなる。そのプログラマーにはお金が入るが、決してその地方都市が作り出した仕事というわけではないのだ。

私は唐津に来て何らかのモノカキ業務はあるのかと思っていたが、それは甘かった。これまでの2年半ほどであった仕事は、佐賀新聞の連載（月1回）と西日本新聞への寄稿（1回）、講演が1回、イベント出演1回、佐賀県庁の仕事9ヶ月×2である。2年半で200万円ほどだったわけで、とてもでないが編集者・ライター・PRプランナーとしての仕事は唐津では得にくい。市の広報誌やウェブサイト構築についてもやるだけの腕とノウハウはあるものの、地元の広告会社や編集プロダクション的な会社がすでに関係性があり、それらの仕事は彼らに流れる。

現在よく遊んだり飲んだりしている人々の職業を見ると、みかん農家、JA職員、配管工を含めた技術者、料理人、看護師、薬剤師、飲食店経営者、公務員、アウトドア会社経営者、骨董商、商店主などである。地元のカーディーラーの社長とも飲んだことはある。あとはまだ飲んだことはないが、包丁職人とも知り合いになった。これらの職業は多くの地方都市にもあるもので、社会の基礎を作る職業である。それまで工業高校で学んだ技術を活かしたり、親の仕事を手伝っていくうちにその道のプロになっていき、一生その仕事で食っていける。

だが、すでに「椅子」とも言えるようなものがあり、そこによそ者が割って入ることは難しい。大都市であれば、こうした職業のほかに、「カタカナ職業」と呼ばれるデザイナー、メディア人、ＰＲプランナー、コピーライター、ＣＭプランナー、クリエイティブディレクター、マナー講師、マーケッター、コンサルタントなどになれる素地がある。そして腕さえ良ければ成り上がることが可能だ。しかし、地方ではこれらの仕事が成立しない。

「明日も今日と同じような日常になればいい」

現在、私のフェイスブックでは東京時代の知り合いと唐津に来てからの知り合いが乱れているが、一つ明確な違いがある。東京時代の人が書くのは、仕事の成果や新しいプロジェクトが開始したこと、転職したこと、マーケティング等の難しそうな記事への分析、高いものを食べたこと、子供の卒業式・入学式・留学、会社が無事創業5周年を迎えた、日々の皆さんのご支援に感謝します、等が多い。唐津時代の人が書くのは基本的には作ったご飯、ライブへ行ったこと、地元の飲み会の様子、釣りをしたことなどだ。

仕事のことを書くというのは「私はこんなに活躍をしていて重要な仕事を任せられている」ということをアピールしたい意図が見える。さらにはフリーランスであれば「お仕事待ってます」などと書くことも。

東京時代の人は、仕事をベースとしてマウンティングをしているように感じられるが、唐津時代の人はそれがない。私の場合、東京関係者は基本マスコミ、広告、広報、マーケティング関連の知り合いだらけのためこのようになるのかもしれない。何しろ「友達」が実際はライバルだったりもするのだから。一方、唐津の人々は皆職業も違う人が雑多にまじり合っているだけに、「私はこの分野で第一人者です」のような自慢がしづらいのだ。あくまでも「仲間とワイワイ」的になるだけだ。

こうした生き方というのは、不思議で「明日も今日と同じような日常になればいい」といった考え方をするようになる。東京時代は、より稼げる人材になりたいと考えたり、キャリアをステップアップさせたい願望を明確に出していた。だからこそイノベーションや新たなる手法が東京から生まれるのだ。これは素晴らしいことではあるものの、50歳を過ぎてもやるのはちとキツい。

地方の人は「オレはオレ」といった考え方をし、大金持ちだろうが低所得だろうが一緒に楽しむ面がある。クルーザーにも何度も乗せてもらったし、ユネスコ無形文化遺産・唐津くんちの時は大金持ちや地元の名士の家で「ふるまい」をしてもらった。「明日から金曜日まで仕事頑張るか～」みたいなことを日曜日の夜になると言う。こんな生き方に各人が快適さを覚えているわけで、「地方から日本を元気に」という考えは政治家はさておき、一般人はあまり持っていないのではないだろうか。

あくまでも自分の人生を大事にしており、国云々（うんぬん）は考えていないように思える。

一度作ってしまったら終われない「一極集中」

東京ほどの人口過密地帯かつ複雑怪奇な交通網を持つ都市は、大雪や豪雨、台風の際に機能を失うもの。一極集中とも呼ばれるが、政治の機能は別で持つべきでは、といった議論もあった。それこそ霞が関の機能を移転させることも検討され、1999年には福島・栃木地域、愛知・岐阜地域が移転先候補地となり、三重・畿央地域が移転先の候補となる可能性がある地域となった。

他の案としては、宮城や茨城など、東京とのアクセスが良い場所も挙げられた。消費者庁は徳島県への機能移転計画を2016年に発表したが、結局一部のみ。首都移転はならなかった。首都機能と大都市が分離されているケースは世界では案外多く、地理を初めて学ぶ子供は驚くこともあるかもしれない。

アメリカはニューヨークではなくワシントンD.C.。オーストラリアはシドニーかメルボルンではなくキャンベラ。ブラジルはリオデジャネイロかサンパウロではなくブラジリア。カナダはトロントではなくオタワ。スイスはチューリッヒではなくベルン。トルコはイスタンブールではなくアンカラ。ミャンマーはヤンゴンではなくネピドー。ニュージーランドはオークランドではなくウェリントン。スリランカはコロンボではなくスリ・ジャヤワルダナプラ・コッテ。

いずれも人工的に作ったような都市で、やろうと思えば日本でも移転は可能である。しかし、日本の場合、過去に候補となっていた宮城県が東日本大震災に遭ったこともあり、この計画は頓挫した。京都に文化庁が移転したが、これはあくまでも13部署のうち６つのみ。前述の通り、徳島へ消費者庁の一部が、和歌山へ総務省統計局の一部が移ったが、基本は霞が関に主要機能を残している。

２０２３年5月24日、『乗りものニュース』に『「通勤地獄」を作ったのは誰か？　戦後の焼け野原からの「理想的な都市計画」が大失敗に終わるまで』という記事が掲載されたが、これが実に興味深い分析となっている。執筆者は鉄道ライター・都市交通史研究家の枝久保達也氏だ。首都圏の悶絶の通勤地獄と、一極集中による家賃の高さの発生理由について分析した記事だが、「一度やってしまったからやめられない」ことがよく分かる。元々一極集中は避けようという都市設計をする意図は、内務省国土局計画課長・大橋武夫氏にはあったのだという。だが、覆った。

〈連合国占領軍（ＧＨＱ）から「敗戦国にふさわしくない計画だ」として不興を買ったこともあり、東京都市圏まで射程に入れた計画は、財源不足で駅前を周辺とした小規模な事業の集合体に縮小。さらに動き出しが遅れたせいで、焼け跡には既にバラックやマーケットが立ち並んでいたのです〉

その結果、高度成長期の首都圏の人口増加に耐えられず、１９６０年代以降続く通勤地獄が終わらないのだ。一極集中を作ってしまえば、当然その地に官庁・大企業本社・大学・メディア機能を作らざるを得ないため、一度そのシステムを作ってしまったら終われないのが日本だ。そして、そこに高等教育と仕事が集まるからますます過密化する。

だから一極集中は避けるべきだったのだ。地方都市の多くが完全に過疎化しているだけである。アメリカに住んでいた時に思ったのは、そこそこ分散した人口と都市計画が見事に達成されていたことである。国土面積は日本の26倍だが、人口は2・6倍。となれば日本よりも過疎化が激しくなる余地はあるのだが、都市計画がうまく機能している。大都市から出ればハイウェイの周りは一面トウモロコシ畑だったりする。そして、数十キロ走ると人口数万人の街の入り口となり、ファストフード店がハイウェイの出口にある。こうした街をいくつも経ると再び大都市が出現する。日本はどんな限界集落であろうとも人が住んでいる限りはインフラを整え、郵便配達もするし、宅配便も届ける。「誰一人として見捨てない」という方針なのだろうが、全体を考えるとこれはデメリットが大きい。

計画的にコンパクトシティを作り、こうした場所に引っ越すよう促す方が日本ではいい。当然、引っ越しを求める人への住居は用意する必要はある。その時、「住み慣れた土地を離れたくない」という声もあがるだろうが、行政は「だったらもう電気もガスも届けません」と言ってしまってもいい。県2位〜5位の規模の近い市内に限界集落の住民には移ってもらう方が経済も活性化するし、出費が減る。アメリカの場合はこれができている。巨大都市↓中規模都市↓小規模都市↓田舎で終わるようにしている。日本の場合はその先に、ド田舎↓集落↓限界集落という3段階が含まれる。

プロ野球とメジャーの本拠地を比べてみると

日米の適切な都市規模の面の違いで分かりやすいのが、プロスポーツチームがどこにあるか？　である。日本の場合、Ｊリーグは観客のキャパ１万人ほどのスタジアムが多く参考にならないため、３万〜５万人収容可能なスタジアムを要するプロ野球で改めて見てみる。この規模がなければプロ野球が成り立たないのだ。球団が本拠地とする市とその人口を列挙する（2023年シーズンから日本ハムは札幌市から人口5・7万人の北広島市へ本拠地を移転。札幌ドームとの契約上の問題が移転の理由だったので、本稿はあえて札幌のままとする）。

札幌（195・2万人）
仙台（108・2万人）
千葉（97・2万人）
東京（23区　974・5万人）
所沢（34万人）
横浜（372・5万人）
名古屋（229・6万人）
大阪（269・1万人）
西宮（48・8万人）
広島（119・4万人）
福岡（153・9万人）

所沢、西宮については、その市自体の人口は少ないものの、埼玉西武ライオンズと阪神タイガースは鉄道会社が運営母体なだけにアクセスは良いため、多くの観客の観戦が可能だ。西宮は大阪・神戸から来やすく、西武については東京の多摩地区から西武バスの西武ドーム行きバスが出ている。こうして見てみると、いかにプロ野球興行が成り立つ地域が少ないかが分かるだろう。

ＭＬＢ（30球団）で「意外に人口が少ない場所を本拠地とするチーム」を見てみる。

レイズ（セントピーターズバーグ　25・８万人）
レンジャーズ（アーリントン　39・３万人）
ガーディアンズ（クリーブランド　36・８万人）
ロイヤルズ（カンザスシティ　56・７万人）
ブリュワーズ（ミルウォーキー　56・９万人）
レッズ（シンシナティ　30・９万人）

こうした中規模都市が周辺の小規模都市とともに、それなりの経済圏を作り出しているのだ。ワイオミングやサウスダコタといった州は、人口は少ないものの第一次産業が充実している。

東京一極集中は「東京的」な大都市を各地に作る結果となった。私は東京を経験した人間として、引っ越し先に札幌、仙台、名古屋、大阪、神戸、新潟、広島、福岡は考えづらかった。いずれも「リトル・トーキョー」的な街に感じられてしまったのだ。駅を中心に巨大な商業ビルが並び、歓楽街がその脇にあり、家電量販店が大音量を鳴らしている。

唐津へ来てから福岡市へ行くことが増えたが、博多駅周辺は池袋のように感じてしまうのである。となれば、他にも「品川的」「渋谷的」「赤羽的」「大井町的」「中野的」「赤坂的」な場所がこれら大都市にはあることだろう。そして県庁所在地も政治や各種役所の中心地なだけに、どことなく東京のオフィス街に似たところがあり、敬遠してしまう。

東京的なものから離れるとした場合、大都市・県庁所在地を私は今後も避け続けるだろう。現在住む唐津には東京的なものはあまりない。海あり、山あり、農業従事者が多く、旧唐津銀行や高取邸といった名建築があり、おすそ分け文化がある。商店街を通るとなじみの店の人が挨拶をしてくる。電気店の店主が店先でビワを売っていたので買ったら、嬉しそうに奥から日本経済新聞を持ってきた。なんと日経の俳句欄に自身の投稿が掲載されたのだ。

店の中で店主は談笑していたところだったのだが、電気工事の仕事を終え、店に戻ってきたら知人がやってきてお茶をする。また呼び出しの電話が鳴ったら現場へ。店先で知人から仕入れた野菜や果物を売り、それを買いに来た客とコミュニケーションを取る。

私自身、東京にいた時はこんなことをしたことはないし、そもそも別業種の人と友人関係になることなどなかった。唐津で友人関係になり、飲んだりイベントをするようになった人々の職種は多様だ。前述の通り、農家、看護師、薬剤師、農協職員、配管工、寿司職人、電気工事技師など、これまでは会えなかった種類の人々と付き合っている。なじみとなった店の人は徹底的に親切にしてくれる。そして「唐津の母」のような存在になった屋台の女将は、私の食が細いのを心配して時々電話をかけてくる。「ちらし寿司ば作ってきたけん、取りにきんしゃい！」と言うのである。

私はこの「非東京的」というか「地方的」な空気感がすっかり気に入ってしまった。よく「田舎は閉鎖的だ」と言われるが、それは田舎過ぎる場所の話だろう。人口5万人以上いるような都市の駅近くを行動エリアにしている場合は、それほど閉鎖的ではない。

日本のように災害の多い国の一極集中は危険な面もあるため、「閉鎖性の強いド田舎的」ではないものの「地方的」な空気感が好きな人は好みの地方都市を見つけてもいいかもしれない。

タワーマンションが成功者の証と思っているのは日本だけだ！

２０１０年代、東京湾岸や武蔵小杉のタワーマンションが「勝ち組の象徴」としてもてはやされた。だが、タワマンは基本的には狭い土地に大量の人間を収容する施設である。「上に行けば行くほどステイタスが高い」といった説がもてはやされたが、正直、人間がまともに住める場所とは思えない。

川崎市の武蔵小杉にあるタワマンは、２０１９年10月の台風の際、多摩川の水が地下３階の電気設備に入り、停電・断水となり、トイレで用さえ足せない有様。マンション前は悪臭を放つ汚泥が溜まった。そして、ネットでは「うんこマンション」と揶揄される始末。元々タワマンはネットでは嫌われる存在だった。住民からすれば「タワマンに住めない底辺の嫉妬（笑）」的にいなしていたところだが、この時にタワマンの脆弱性が明らかになってしまったのである。

50階建てなどザラなわけで、朝の通勤・通学時間にはエレベーターは大混雑となる。「そこまで長くないよ～。階数別にエレベーターは用意されているので」という擁護記事は登場したものの、明らかにここまでの巨大ビルでそれはない。都心のタワマン並みに階数が多いオフィスビルに勤めている人だったら分かるだろうが、出勤時間帯とランチ前と退社時刻のエレベーターの各駅停車ぶりは正直不快である。

タワマンも同じなのだ。そして、タワマンのダサさは、これをローンで買うことこそステイタスと考えていることにある。地方都市の地主が広大な一軒家を継ぐことの方がどう考えてもステイタス的には上である。地元の植木屋に庭の剪定をしてもらい、常に「名家」の雰囲気が漂う。タワマンは自慢のラウンジにしても、放課後の非居住者も含めた子供達の居場所になり、本来使いたい住人が不便する。

さらに言うと、２０２３年3月12日、『現代ビジネス』に住宅ジャーナリストの榊淳司氏が寄稿した『多くの日本人が知らない…！　海外だとタワマンが「低所得者向けの賃貸物件」という「信じがたい現実」』という記事はなかなか辛辣だ。榊氏は『限界のタワーマンション』（集英社新書）という本を２０１９年に執筆しており、そこでは、ヨーロッパの学生50人に、「超高層住宅についてどう考えるか」というアンケート調査をした。その結果が以下の通り。

〈結論だけを先に言ってしまうと、「タワマンで子育てをしてもいいと考えている」

との回答は皆無だった。この結果から類推できることがある。まず、G7の中でタワマンに関する意識調査をしたとして、「タワマンで子育てすることに抵抗感がない」と答える人が半数以上になる国は、おそらく日本だけなのではないか〉

2017年6月・イギリスでタワマン火災があった際、テレビでコメントした榊氏が、このマンションが低所得者向けの住宅であることを述べるとコメンテーターは驚いていたという。さらに、「階層ヒエラルキー」についても言及し、「ニューカマーのプチ成功者」にこの傾向があるという。大学進学時や就職時に上京した人がタワマンを買えるだけの収入を得て、悦に入っているという考え方だ。

『限界のタワーマンション』には「タワマン購入者は見栄っ張り」という項がある。以下、引用する。著者の榊氏は現在住宅ジャーナリストだが、元々30年以上、マンションの広告・販売戦略立案に携わっていた。

〈私がかつて新築マンションの分譲広告を制作していた時、ある財閥系大手デベロッパーが社内向けに制作した販売企画資料の中に「湾岸のタワーマンション購入者は基本的に見栄っ張り」と、明確に書かれていたのを覚えている。売主からして、湾岸エ

リアで販売するタワーマンションのターゲット層が見栄っ張りであると理解した上で、彼らの購入マインドを刺激する広告デザインや販売センターでの演出を行っているのだ〉

〈東京のタワーマンションを購入しているのは地元出身者というよりも、大学への入学や就職によって移住してきた地方出身のニューカマーが多いのだ。特に湾岸のタワーマンションを躊躇なく購入するのはニューカマー、という印象を抱く〉

そのうえで、明治大学文学部の川口太郎教授による住環境研究会が２０１０年3月に発表した『ゼロからの豊洲――湾岸タワーマンションに住む人々』という調査結果を紹介。１９１６通をタワマン住民に送り、２９８通を回収。属性を見ると、夫婦の中学校卒業時の居住地が東京23区内だったのは約20％。そして榊氏はこう続ける。

〈中学校卒業時の居住地を出身地と仮定すると、八〇パーセント近くが二三区外からの流入者と言える。東京圏（一都三県）にまで範囲を広げると、五〇パーセント以上が東京圏以外の出身者であった〉

これは実にダサい。自分の周囲に限るが、進学・上京時に地方からやってきて、そこそこの地位を得た人ほどタワマンに固執しているのだ。さらにいうと東京に固執する。東京育ちであれば、「東京なんてもういいや」と思えるのだが、不思議とこの「ニューカマーのプチ成功者」は東京の良さを力説し、いかに地方にくすぶっていてはダメかを力説するのである。

その時述べるのは、地方における考え方の古さ、閉鎖性、長男が一番エラい点、情報が筒抜け、男性上位社会など、「悪い部分の日本」だが、こうしたニューカマーのプチ成功者ほど、東京の悪さを体現する存在である。何しろ渋滞地獄、満員電車地獄、ヒートアイランド現象、格差社会の具現化などを嬉々として選ぶのだから。彼らはこうしたことの方が地方の悪い部分よりもマシと考えている。というか、これも東京らしさである、といった肯定をしているのだ。そんな東京で活躍する自分、地元に残る知人に東京の華やかな生活を見せるべくタワマンから見える夜景やら花火大会の様子をＳＮＳに投稿する。さらには、さすがにプチ成功者であっても昨今の都心の一戸建ては高過ぎるため、狭い土地に三階建てのいわゆる「狭小住宅」を買い、オシャレアピールをする。この手の住宅は見た目だけはオシャレだし、中もそれなりに収納スペースがあって快適である。だが、地元の名士からすれば、見下す対象である。

ああ、ダサ過ぎ！「マンションポエム」

これらは私のように生まれた時から東京生活だった人間には不可解な考え方である。私の実家は都下の立川市だが、同級生は特に東京的なものに憧れていない。地方の人間と同様に、地元に根差し、親の家や家業を継いでいる。ましてやタワマンへの憧れなどはない。立川のタワマンに住みたいかを友人・近所の人に聞いたが、全員から「家があるのに引っ越す理由がない」と答えた。

榊氏は記事や著書内でタワマンのメリットは眺望の良さ、建物によってはサービス・管理の良さはあるが、他はデメリットが多いことを指摘する。壁の薄さに加え、救急時に救急隊が到着するのが遅れること、三半規管の弱い人には健康被害を招く可能性が大きいこと、大規模改修に2倍以上のコストがかかることなど、これでもか、とばかりにタワマンのデメリットを挙げている。

もう一つ、ここは個人的な話になるが、何しろ、常に誰かと接するような人生をタワマンはもたらす。私はマンションのエレベーターでさえ誰かと会うのが苦手なタイプであるため、これまで住んだマンションの部屋は大抵2階である。これならば、エレベーターの待ち時間も少ないし、エレベーターで誰かが乗ってくることもない。非常階段から外に出られる。ドアの中から廊下を覗き、人がいたらその人がエレベーターで降りていくまでやり過ごすようなタイプだ。しかし、タワマンであれば、次にいつエレベーターが来るか分からないため、仕方なく乗らざるを得ない。

日本人はなぜタワマンをこれほどまで評価してしまったのだろうか。ネット用語で「マンションポエム」というものがある。これは、マンションのチラシに書かれた美辞麗句を面白がって名付けたものである。

２０２３年６月に入居開始となった、三井不動産の商業施設「ＧＲＡＮＤ ＭＡＲＩＮＡ ＴＯＫＹＯ」内のタワマン「パークタワー勝どきミッド／サウス」のコピーは以下のようになっている。

〈ＦＥＥＬ ＮＥＷ ＷＩＮＤ　しなやかに生きる。今、時代は変わり、新しい風が吹き始めている。次の働き方、次の暮らし方、次の生き方のほうへ。そして東京の中心も、また変わっていく。私たちは実現する。日本の新しいライフスタイルを。一人ひとりが自分らしく輝き、自由に心地よく生きる日々を。先進を走り、生きる人にとって真の生活価値を創造する。次世代へ向けた私たちの挑戦が、ここに結実した〉

コンセプトムービーはやたらと外国人が登場し、多様性を描いている。しかし、ここ数年、この手のステレオタイプの「多様性」が幅を利かせ、結局多様でなくなっている。外国人と日本人が老若男女問わず笑顔に溢れ、コワーキングスペースで触れ合ったり、スカイラウンジで語り合う――。これがタワマンのあり様になり、もっというと、住宅とはかくあるべし、といったイメージを日本中に発信しているのだ。内実は榊氏が指摘したように、日本におけるタワマンは世界各国から見ても奇異なポジションであるにもかかわらず、である。

前述の武蔵小杉の件はタワマン神話にケチをつけたが、今後もタワマンには榊氏が指摘するような多数のケチがつくだろう。15年おきの大規模修繕費負担に関し、多勢の住人の合意を得るのも困難だと榊氏は述べる。費用負担は1回目が200万〜250万円、2回目は300万円以上になる可能性もあるという。その時、ダサい日本人は「こんなつもりではなかった……。業者が悪い」と他責精神に溢れることとなる。或いは「あの時はタワマンは成功者の象徴だった」と言う。地上50階の家に住むなど人間の摂理に反しているのである。バベルの塔かよ。

あくまでも狭い土地にどれだけ大量の部屋を作るかを考え、それこそがステイタスであると喧伝(けんでん)したディベロッパーの策略にハマっただけだ。まずは六本木ヒルズや東京ミッドタウン等都心の中央部、次いで豊洲を含めた湾岸エリアで最先端イメージを作り、全国的に憧れイメージを作った。

「○m以上の建物は建ててはいけない」といった景観条例がある自治体の人は勝ち組である。何しろタワマンが地元に建たないのだから。伝統的に左派系が強い東京都国立市の住民は、高さ20m以上のマンションを建ててはいけないと主張。明和地所による18階建てのマンション建設計画に反対し、14階建てとして同社は決定。それ以上は受け入れられないと住民の要求を突っぱねた。しかし、当件は裁判にも発展しており、20mを超える7階建て以上は違法だとし、すでに存在する8階〜14階部分を撤去させようとする裁判を起こした。これは稀有な例ではあるものの、巨大マンションが建設されると景観が悪化すると考える人がいるほか、単純に混雑する。武蔵小杉のタワマンの場合、駅から徒歩2〜3分の立地ながら通勤時間帯は駅のホームまで家から30分ということもあったようだ。当然、電車も大混雑。会社に着く頃はヘトヘトである。

東京のメディアの価値観を優先させた結果が今だ！

「東京的なもの」は罪作りである。何しろ、日本に全体主義を生み出す装置となっているのだから。2020年から2023年まで続いた一大社会現象は新型コロナウイルスによるものだが、これは東京的なものが全国に影響を与えた。東京の状況と、東京のメディア発の状況がコロナに対する恐怖感を全国に蔓延させた。地方の人々は「我が県に来るな！」の大合唱で、「他県ナンバー狩り」はあったし、息子・娘・孫が帰省した家には「帰れ」と書かれた紙が貼られた。

2023年4月からツイッターで医者たちが「第9波に入った」と宣言。その後も「第9波が水面下で進んでいる」「第9波の入り口」などと言い続け、8月に陽性者が増えるとメディアも「今は第9波である」と言ってくれる医者を多数登場させ、「インフルやRSウイルスも流行ってる」と感染対策の重要性を訴えた。さらには「謎の風邪」という言葉が登場したり「子供が熱を出す風邪が流行っている」などと煽り、日本は再び元に戻った。いや、さらに悪化した。

本来、新型コロナの「5類化」は「もうこれ以上特別視しないでいい」という話だったのだが、医者とメディアはあろうことか、「インフルエンザもヤバイ!!」という結果になったのである。東京都の小池百合子知事は9月末、インフルエンザへの警戒を会見で述べた。

もう、「感染症依存症」というワケの分からない状態に入っているのだ。一体感をもって感染対策をし、高齢者や基礎疾患のある人の命を守る、という「祭り」を永遠に続かせることで補助金をがっぽりもらえる医療業界と、この3年間ですっかり対策中毒のような状態でコロナを恐れマスクを信じ、ワクチンの次回接種を待つ人の利害関係が完全に一致した。9月12日、東京都医師会の尾﨑治夫会長は、10月以降コロナ経口薬が一部自己負担になることを受け、第10波がこれまでよりも被害が多くなる可能性について言及。2024年3月までの公費負担を求めた。要するに公費負担だったら5万~10万円のゾコーバやラゲブリオやパキロビッドなど高額な薬をバンバン投薬できるから、少しでも長くおいしい思いをしたいのだ。街中には日常が戻っているが、メディア・医者・専門家・感染症依存症患者が何としても終わらせまい、と必死に抵抗を続けている。

元々日本は欧米諸国と比べて被害は軽微だったが、初期の頃、陽性者がゼロの県も多い中、東京は2ケタの陽性者を出した。これに小池知事も防災服を着用し、パニックを演出。

東京のメディアもそこに乗っかったし、他の府県の知事も防災服を着だした。２０２０年５月までは、東京を中心とした首都圏の陽性者数は地方部と比較すれば多かったものの、わずか「新規感染者数87人」の状態で東京は緊急事態宣言を4月7日に発動した。

小池氏は「買い物は3日に1回」などと言い、都民に対して徹底的に行動制限を呼びかけた。日本は終始「海外がヤバいから日本もヤバいはずだ」という論調で突き進んだが、日本国内全体でのパニック醸成のためには東京でのパンデミックが重要だった。歴史学者の與那覇潤氏は自著『歴史なき時代に——私たちが失ったもの　取り戻すもの』（朝日新書）でコロナ騒動についてかなりのページを割いたが、同氏は日本が徹底的にアホであることを示した。引用の前に、同氏の解説を要約する。

「明らかに日本人を含めた東アジア人はコロナに『なぜか』強かった。この頃のアメリカの死者は、10万５０００人、イギリスは3万８０００人だった。各国がロックダウンをした後、それの真似事のように緊急事態宣言を出した日本はここでグローバリズム（全体主義）に乗っかったのである。日本人の死者が９００人だった時期の話だ」

以下、引用。

〈日本で歴史学者と称している人たちはなんですか。日本の総人口は1億２０００万

人を超えているのに、同じ時点でコロナの死者はわずか９００人。日本で死者が累計1万人に達したのは、丸々1年間をかけた21年4月で、この時米国の総死者数は57万人超。脅威の度合いが比較にならない規模なのは、誰にも分かる。

ところが、あたかも「政府が自粛しろって言うんだもん。民意も怖がってて、逆のことを言ったら叩かれるもん」と言わんばかりに、彼らはこの間、大学の研究室どころか自宅に引きこもり、ＳＮＳではお友達どうし、ずーっと内輪でＺｏｏｍ研究会の宣伝だけ（失笑）。そりゃ、「こいつらに税金使いたくない」と思われてもしかたないでしょう〉

政府や厚労省やメディアは各国の状況を見て、「えらいこっちゃえらいこっちゃ」と慌てふためいただろう。そして「仕事をしているふり」をすべく、様々な制限を課したが実際、日本の被害は少なかったのである。ただ、ワクチン接種率とブースター接種率で日本が世界トップになった後は陽性者数は世界一になり、死者もそれまでの「波」とは桁違いに増えた。２０１９〜２０２２年の死者数推移はＰ17で記したが、再掲する。

２０１９年：１３８万１０９３人、２０２０年：１３７万２７５５人、２０２１年：１４５万２２８９人、２０２２年：１５８万２０３３人。

高齢化すればするほど死者数は毎年増えていくと思われるだろうが、コロナ元年の死者数は前年より減少。２０２１年は８万人増加、２０２２年は２０２０年比で21万人増、２０２１年比で13万人増である。さて、２０２３年はどうなるか？　２０２３年８月29日に厚労省は１～６月までの人口動態速報を発表している。死者は２０２１年で72万８９４４人、２０２２年は77万７２１３人、２０２３年は79万７７１６人。戦後過去最多の死者数を記録した２０２２年を２０２３年は上回っている。

いや、別に「ワクチンが陽性者数増加と死者激増に影響した」と言いたいわけではない。あくまでも「ワクチン接種が進んだ後、コロナ陽性者数と死者数は激増した」と言いたいだけである。

東京ローカル情報をなぜ全国放送で見せるの？

欧米各国の被害の状況を東京のメディアが報じ、今度は「日本の中では被害が大きい東京」の様子を東京のメディアは積極的に報じることとなる。ここから約3年間、日本全体が「東京的メディア価値観」に毒されていくこととなる。私のような佐賀県唐津市在住者としての実感から、この異常さについて振り返ってみよう。

かつて『Ｔｏｋｙｏ Ｗａｌｋｅｒ』（ＫＡＤＯＫＡＷＡ）という雑誌があった。雑誌全盛期の１９９０年代には爆発的に売れ、姉妹誌として関西・北海道・東海・横浜・神戸・千葉版も登場するほどだった。だが、街関連や食関連情報収集のメイン手段がウェブになってからはいずれも休刊。ライバル誌だった『ＴＯＫＹＯ★１週間』（講談社）もあったが、２０１０年に休刊した。同誌の姉妹誌には『ＫＡＮＳＡＩ１週間』があった。

こうした例から分かるのだが、基本的には「東京の情報」にこそ価値はまず存在し、その価値が認められたところで他の大都市圏の情報にも価値が見出される状態になっていく。そして、その各地の情報が「休刊」という形で次々と不要になっていき、最後に残るのが東京なのだ。

基本、日本のメディアの起点は東京の情報である。それを最低限知っておけば、日本国民はある程度満足できるということになっている。だから、地上波ＴＶを見れば、東京のキー局が制作した番組ばかりが流れることとなる。時々関西の局が作る番組も流れる。バラエティ番組ならそれで構わないだろう。

だが、ニュースや情報番組になると、実は東京のニュースはさほど重要でもなくなる。それがよく表れたのが、２０２２年９月２日の『羽鳥慎一モーニングショー』（テレビ朝日系）だ。今ではテレビ番組で著名人が語った言葉がすぐにネットニュースになるが、中日スポーツ・東京中日スポーツの電子版は以下のタイトルの記事を即日配信した。

〈モーニングショー『都民割』特集にネット怒り「東京ローカルで放送して」「なんで46道府県の人にも見せるの」〉

これは新型コロナウイルスに関連し、ワクチンを3回打った都民は都内の旅行（宿泊）を割り引かれるという件で、約10分を割いて放送した。人口約1億2500万人の日本のうち、東京の人口は1400万人である。だが、同番組はこれを重要視し、取材をし、全国に流したのだ。これを受け、中日スポーツはこのようにネットの声を拾った。

〈ネット上では「都民割り???世の中には東京都民しかいないのか?」「東京ローカルで放送していただけませんか?」「全国ネタじゃないだろうが」「東京都民以外はどうでもいい」「全国放送でやる内容ではない」「なんで46道府県の人々にもこういうのを見せるんだろう?」との都民以外在住と思われる人からの批判的な声が散見された〉

しかし、この手の報道は昔から多かった。2018〜2019年にかけ、タピオカミルクティーが東京で大ブームとなったが、その様子は散々全国に報じられた。「行列ができた」「若者に人気」「おしゃれ」「インスタ映えする」といった切り口で展開した後、「飲み終えたカップをそこらへんに捨てていき迷惑」といったところまでいく。

東京の「タピオカ屋が迷惑」報道が出た頃には、地方都市にもタピオカ屋ができて行列が発生する。そして、東京でタピオカ屋が衰退し始めると地方にも波及し、タピオカ屋はなくなっていく。

2023年、タピオカ屋は原宿等で復活の兆しはあるようだが、完全に消滅したといえよう。ただ、地方都市ではしぶとく残っている例がある。タピオカミルクティーが本当においしいかどうかはさておき、東京のメディアが散々もてはやしたため、今でも地方にタピオカ屋が残っているのだ。

日本中を「リトル東京」化させてしまったメディア

私が毎度北海道・東北・甲信越・北陸の人々に対して申し訳なく思うのが、「東京の雪報道」である。大抵の場合、「新宿駅南口」「八王子駅」から中継されるのだが、雪が降ると東京のニュースや情報番組のリポーターがこれらの場所へ行き、深刻な表情で「足もとが悪い中、お気を付けください！」などと絶叫するのだ。

しかし、実際東京では10㎝でも雪が積もれば電車は大幅に遅れ、バスやタクシーは大渋滞となるので、リポーターのこの注意喚起は正しい。そして、その様子をテレビが「うわーっ、すごい行列です！」とリポートし、行列に並ぶ人に「まさかこんなに降るとは……。今晩帰れるか心配です」などと発言させるのだ。この報道が出る度に雪国の人は、「秋田ナメるなよ」「新潟ではこんなの当たり前」「なんで東京はこんなに雪に弱いのだ」などとネットに書きこむ。

そうなのだ。この件については確かに「東京を含めた首都圏は雪に弱い」という事実はある。だが、それを全国ニュースにする必要があるのか？　というのが問題なのである。「雪のため〇〇線は運休」の情報とターミナル駅のバスやタクシー待ちの行列、改札口への入場制限の事実だけを伝え、数分でこの話題はやめればいい。沖縄の人にとっては東京の雪にはなんのニュースバリューもない。あるとしても、その日、東京へ出張や旅行に行く予定がある人だけである。豪雪地帯の人からすると、「何を騒いでいるのか」と呆れるとともに、事故が相次いだといったニュースがあったら「スタッドレスタイヤぐらい雪が降ったらつけろよ」と思うことだろう。豪雪地帯で立ち往生が時々発生するが、原因が都会から来た車の準備不足との指摘もある。

とにかく東京のメディア人は自分の目に入る「流行りもの」を取り上げ、全国に流すのである。あくまでも「自分にとっては大事件」が日本中にとって大事件だと思うのだ。ここに善良なる地方民が釣られ、日本中が「リトル東京」化するのだ。

コロナでは東京のメディアが一方的に論調を作った。東京の陽性者数が2ケタになったところで小池百合子知事は深刻な表情で会見を開き、緊急事態であることを防災服姿でアピールした。これが全国に流れたものだから、「東京のヤツは全員コロナだ！」といった論調に一気になり、「東京差別」が発生。それは首都圏3県や関西3県にも波及し、岡山県の知事など、兵庫県との県境に近いＰＡに検温の門番を置き、「我が県に来たことを後悔させる」とまで言った（岡山県に批判殺到で炎上、検温中止）。そうして「他県ナンバー狩り」が開始したのである。そこから先は東京と首都圏3知事の「ヤバいです！」発表とそれに伴う知事への注目度の増加から各道府県の知事は積極的に危機を煽り、自身の存在感が高まる全国ニュースにしようと必死だったのである。その様は、小池百合子都知事がアニメ『ヤッターマン』のドロンジョ様で、千葉・神奈川・埼玉の男性知事が忠実な部下であるボヤッキーとトンズラーのように見えた。この4知事の発信力は抜群で、そこに大阪の吉村洋文知事も加わり、かくして全国がコロナパニックに陥ったのである。基本的には東京のメディアが妙な正義感を持って、当時は蚊帳（かや）の外にいた地方に危機感を煽りまくったのである。その結果生まれたのが全国に蔓延した差別感情だ。都会から息子・娘・孫が帰省したらその家には投石され、「帰れ」と貼り紙をドアに貼られる例もあった。

東京が「当事者」になった出来事は報道が多くなる

これと似た構図が東日本大震災だ。確かに、東日本大震災は甚大な被害をもたらした。だが、東京都民の死者は7人である。警察庁のまとめによると、死者（行方不明者は除く）は宮城県9543人、岩手県4675人、福島県1614人で圧倒的に多く、茨城県24人、千葉県21人と続く。私もメディア業界人として、この時は日々震災関連のニュースを出したが、明らかに阪神・淡路大震災や新潟県の中越地震と比較して、報道量が東日本大震災は桁違いと感じられた。福島第一・第二原発事故の影響はあったにしても、それにしても多い。

震災から5ヶ月後にオンエアされた『24時間テレビ』（日本テレビ系）は「力～わたしは、たいせつなひとり。～」をキーワードにして人との繋がりを強調し、年末の「今年の漢字」もその流れを受けてか「絆」となった。一体なぜかということを考えると、東京のメディア人がついに「当事者」になったからではないか。それまでの地震や噴火や土砂崩れ、台風では一定期間を過ぎたら報道はパッタリと止まった。それは原体験としての恐怖・困難を東京のメディア人が経験していないからである。

だが、東日本大震災では、当事者になった。巨大地震を体験したこと、帰宅難民になったこと、さらにはガスや電気が止まったことも影響しているだろう。さらには「放射線が首都圏を襲う」といった報道も多数あり、テレビではリポーターがガイガーカウンターでそこら中の地面を計測し「アッー！ 0・8マイクロシーベルト／hもあります！」などと絶叫した。阪神・淡路大震災の時は、朝起きてテレビをつけたら高速道路が支柱から倒れていたり、神戸市長田区で火災が発生する様などが報じられたが、やはり東京のメディアからすると他人事だった。お約束のように毎年1月17日は神戸等の人々が鎮魂の祈りを捧げる様を報道するが、「東日本大震災から○年」報道よりは明らかに少ない。

そして、究極の「全国放送にここまで時間を割かないでいいのでは……」と感じるのが東京都知事選である。都知事選は青島幸男氏が当選した1995年以降、「著名人」が当選し続けた。それにいわゆる目立ちたがりの「泡沫候補」も複数出馬し、ワイドショーが大好きな展開となる。青島氏以降の都知事は以下の通り。青島幸男（1995―1999）、石原慎太郎（1999―2012）、猪瀬直樹（2012―2013）、舛添要一

（2014－2016）、小池百合子（2016－現在）。28年にわたり、著名人が勝っているのだ。

その中でも特に盛り上がったのが、2016年の選挙だ。小池百合子氏が「ガラスの壁を打ち破る」と宣言。対抗馬の自民党推薦・増田寛也氏を応援した石原慎太郎氏による「厚化粧の大年増」呼ばわりに対し、小池氏は「生まれもってアザがあるからそれを隠している」と発言し「女性差別を許さない」の文脈で一気に支持を集め空気をガラリと変えた。当初、対抗馬と目されていたリベラル派のジャーナリスト・鳥越俊太郎氏は増田氏にも及ばなかった。この時は、上杉隆氏（メディア出演多数のジャーナリスト）、桜井誠氏（ネットで知名度の高い保守活動家）、マック赤坂氏（選挙の度に登場する実業家）、立花孝志氏（「NHKをぶっ壊す！」発言で名高い）らキャラが濃い候補者が多数出馬したため、連日都知事選の模様がテレビの情報番組で流れた。

この時、心底私は「いくら首都の選挙とはいえ、巨額の予算を握っている自治体とはいえ、皆さんに投票権のない選挙に毎日何十分も時間を費やして申し訳ない」と都民として思っていた。とにかく、都知事選は「キャラの宝庫」なのである。1995年以降の目立った候補者には以下がいた。

大前研一（経営コンサルタント）、明石康（日本人初の国連職員・各国の平和に貢献）、ドクター・中松（発明家）、羽柴誠三秀吉（実業家・選挙出馬多数）、浅野史郎（元宮城県知事）、黒川紀章（建築家）、桜金造（芸人）、外山恒一（活動家）、東国原英夫（芸人・元宮崎県知事）、渡邉美樹（ワタミ創業者）、トクマ（ミュージシャン）、細川護熙（元首相）、田母神俊雄（元航空幕僚長）、山本太郎（れいわ新選組代表）

結局メディア操作に長けた小池百合子氏やメディアと深いパイプを持つ鳥越俊太郎氏や東国原英夫氏らが出るからここまで大きく取り上げられるのだ。一種の芸能記事であり芸能コーナーなのである。東国原氏は宮崎県知事時代、間違いなく歴代最強のＰＲ上手県知事だっただろう。「どげんかせんといかん」という危機感を表す言葉や、宮崎のマンゴーを含めた物産を東京発のメディアに載せ、日本中に宮崎県をアピールした。同じことを官僚や弁護士出身の知事がやっても東国原氏ほど取り上げてもらえなかったのは間違いない。

「劇場型」政治家・小池百合子の東京降臨

特に小池氏については「小池劇場」と言われたマスコミ受けする言動や工夫、キャッチーな言葉遣いが目立った。一つの特徴は「アウフヘーベン」「ワイズ・スペンディング」「都民ファースト」といった横文字や「7つのゼロ」「築地は守る、豊洲は生かす」「東京大改革2・0」などがあった。「希望の党」を立ち上げて国政選挙に打って出た際は、自身の考えと合わない候補者は「排除します」と発言。これもインパクトの強い言葉だったが、結果的に有権者の反感を買い、同党は惨敗した。

この時は、2016年の都知事選・就任直後とはまったく異なる「風」が吹いたわけだが、当初はジャンヌ・ダルク的扱いをされ、絶賛されていた。その時は、老害がゴリ押しした都民の安心・安全を毀損する築地市場の移転に立ち向かう——こんな構図を巧みに演出した。選挙戦で石原氏を完膚なきまでに差別主義者扱いすることに成功し叩き潰し、就任後は「都議会のドン」と呼ばれた自民党の内田茂氏や、小池氏が来たにもかかわらず握手と写真撮影を拒否した川井重勇（しげお）都議会議長を悪者・古い政治の象徴扱いすることにも成功した。

この時の様子はサンスポ電子版に『早くも始まった百合子いじめ…あいさつ回りも都議会自民が塩対応』の記事で公開された。引用する。

〈選挙中に最大会派の自民批判を繰り返していただけに、議長室で出迎えた川井重勇

議長（67）は「議会と知事は（車の）両輪なので、一輪車にならないように」とチクリ。報道陣から記念写真を求められると「君の求めに応じる義務はない」と拒否した。

さらに、その後の各会派は幹事長が出迎えたが、自民党は幹事長と政調会長が不在。高橋信博総務会長ら2人が対応した。「よろしくお願いします」とかわした後は会話が続かず、小池氏は5分の滞在予定を約30秒で退室。高橋氏は「自分はたまたまいただけ。会派で招集はかかっておらず、他の議員が来ない理由は聞いていない」とそっけなかった〉

築地市場については「食のテーマパークを有する市場」という構想があったようだが、どうもコロナの時と同じく「目立ちたい」という思惑があったように感じられる。「天敵」ともいえる石原慎太郎氏の決定した豊洲移転をなんとしても否定したいのか、東京ガスの施設の跡地である豊洲市場の土壌・地下が汚染されている、安全性が確認されるまでは移転できない！　私は都民の安心・安全を守る素晴らしい都知事！　という大キャンペーンをメディアを巻き込んで行ったのだ。そのため、移転は当初予定の２０１６年（小池氏当選の年）から2年遅れた。

これが実にテレビからは「画（え）になる」と重宝された。特に問題視されたのは、豊洲市場地下の計画にあった「盛り土」が存在せず、「地下空間」になっていたことだ。汚染された土壌を安全にするには「盛り土」を盛る必要があると日本共産党の都議団が指摘したのだ。「盛り土」という聞きなれない言葉の効果もあり、連日ワイドショーは盛り土問題を取り上げた。この件については、日本共産党の機関紙である『しんぶん赤旗』も大きく取り上げ、共産党の都議団が会見を開いたり報道陣を連れて問題をさらに大きくした。小池氏もこの件を問題視し、豊洲移転に反対をした。

だが、２０２３年、この「盛り土」問題、議題に上がっているか？　結局、共産党も小池氏も自民党を叩きたかっただけなのである。なし崩し的に豊洲市場は２０１８年10月11日、オープン。その日の朝の情報番組は「ターレ」と呼ばれる市場内を走る運搬車が漆黒の中、築地から豊洲へライトを煌々（こうこう）とつけて移動する列を放送した。これも「画になる」映像である。今となっては豊洲移転問題は小池氏が注目を集めるためにやったのでは、と疑問を抱いてしまう。さらに言うと、「盛り土」問題についても共産党の支持を得たいがために、小池氏がこの「スクープ」めいたものに乗っかったのではなかろうか。

いや、東京の市場は世界一の市場である。この問題は大きいものの、結局、築地・豊洲で流通される食材は主に首都圏で流通するもの。正直、地方の人からすれば他人事である。それなのに連日テレビでは流れた。これまた全国の人々にお詫び申し上げたい次第である。

小池都知事「フリップ芸」が「都会＝危険」を広げた

コロナでも「小池語録」は炸裂した。２０２０年の流行語大賞を取った「3密」については、押し寄せる記者に対して「密です！」と叫ぶ様子が印象に残っているだろう。「感染者の爆発的な増加、いわゆるオーバーシュートと言われています」「リバウンド防止措置期間」「特別な夏」「都市の封鎖、いわゆる『ロックダウン』など強力な措置を取らざるを得ない状況が出てくる」など印象的な言葉を残した。

そして、コロナでは得意の「フリップ芸」を披露。会見では防災服を着用して危機を演出し、キャッチーな言葉を出した。「ＮＯ!!　３密」「感染対策短期集中」などが有名だ。さらには、鳥獣戯画風カエルまで繰り出した。「夜の人の流れを抑えるために　8時にはみんなかえる」が大見出しで、「職場からかえる」「お店からかえる」「寄り道せずかえる」「ウチで気分をかえる」がサブコピーのようなもの。小池氏の代表的フリップを当時のネットニュースの見出しとともに見ていく（以下〈〉内がフリップに書かれた文言）。

●「感染爆発の重大局面」小池都知事、強い危機感表明（２０２０年3月25日　産経ニュース）

〈ＮＯ!!　３密　３つの密を避けて行動を
【１】換気の悪い密閉空間
【２】多くの人の密集する場所
【３】至近距離での密接した会話〉
※この時、小池氏は〈感染爆発　重大局面　［オーバーシュート　重大局面］〉というフリップも用意していた。
●２桁感染続き週明けに先延ばし　都、そろりステップ２へ（２０２０年５月30日朝日新聞デジタル）
〈「ウィズ　コロナ宣言」　～「新しい日常」　コロナとともに生きていく～〉
●東京都が「感染拡大警報」。不要不急の都外外出は避けて（２０２０年７月15日Ｉｍｐｒｅｓｓ Ｗａｔｃｈ）
〈感染拡大警報〉
〈ガイドラインを守らないお店は避けて！　（ステッカーのあるお店に！）〉
※その後、７月30日の会見では〈感染拡大特別警報〉というフリップも出された。

●時短要請、23区は延長　小池知事「予断許さず」―東京都（2020年8月27日　時事ドットコムニュース）

〈防ごう重症化　守ろう高齢者〉

●感染阻止へ「5つの小」　都知事、時短要請は見送り　経済と両立厳しく（2020年11月19日　産経ニュース）

〈会食時の感染防止に5つの小(こ)　小人数　小一時間　小声　小皿　小まめ　＋　こころづかい〉

●小池知事「ひきしめよう」呼びかけ（2020年12月10日　産経ニュース）

〈(ひ)　引き続き「テレワーク」「時差出勤」

(き)　基本を徹底！「マスク」「手洗い」「消毒」

(し)　食事を複数人でとる際は「マスクで会食」を！

(め)　面倒でも「こまめな換気」を！

(よ)　夜のお酒は少人数・短時間で！

〈うウイルスの感染予防に一緒に取り組みましょう〉

これらが全国ニュースで流れ続け、東京のあたふたぶりが全国に波及する結果をもたらした。その威力はハンパなく、各種情報番組に登場した専門家とコメンテーターが「都会（東京）＝危険」イメージを作り、パニックが本格化したのである。

東京発の情報に寄り過ぎるメディアの本音

地方でＮＨＫのニュースを見ると、「それではここから○○県のニュースをお伝えします」となる。地元のＮＨＫの放送局からの中継に切り替え、地元ニュースを伝えるのだ。地方出身者は、東京へ来ると「同じアナウンサーが登場し続ける！」と驚いていた。

メディア発の情報がなぜ東京中心になるのかといえば、首都機能があることと人口が最も多いことは当然のことながら、単純な理由がある。大手メディアの本社が東京に集中しているというだけの理由である。要するに、「都内であれば取材しやすい」だけなのだ。これが日本の人口の12％ほどでしかない東京発情報が日本全国に蔓延する理由である。

私はアメリカに4年9ヶ月住んでいたが、アメリカの新聞で「全国紙」と呼ばれるものは『USA TODAY』だけで、基本的に各人が購読するのは地元紙だった。テレビ番組やラジオ番組も地元のものである。私の場合、イリノイ州のブルーミントンという小さな街に住んでいたが、州最大の都市・シカゴの放送局の番組をよく見ていた。スポーツ中継にしても地元のシカゴ・カブス（MLB）、シカゴ・ホワイトソックス（同）、シカゴ・ブルズ（NBA）、シカゴ・ブラックホークス（NHL）、シカゴ・ベアーズ（NFL）の試合が放送される。CNNやNBC、MTVといった全国放送も当然あるが、これらは各放送局の地元ニュースを流すのではなく、全米に関するものや世界情勢、地域と関係のないスポーツチームの試合を放送していた。ニューヨークに新しいピザ屋ができたことなどはよっぽど特徴的ではない限り、全国ニュースにならない。ましてやCNNとTNTの本社はアトランタである。誰もアトランタのニュースばかり見たいワケがない。

さらに、作り手であるメディア人の考え方を、ここでキチンと説明しておかなければばなるまい。東京に対して自信があるものだから、「どうせおのぼりさんが来た時、役立つわ(笑)」などといった考えで東京発の情報を出すのである。

これは雑誌でも同じで、全国展開する週刊誌が「おいしい焼肉店」のグラビア特集を作った場合、全8ページだったとしたら、6ページを東京や横浜の店舗に費やし、申し訳程度に1ページ「関西」を入れ、「名古屋」「福岡」を半ページずつ紹介する。こうすることで、地方でも雑誌を販売する正当性を付与するのだ。巨大都市である札幌・仙台・新潟・静岡・広島・熊本の情報はスルーされる。全国のネタを出す場合は地方別の特徴的なラーメンの紹介や、47都道府県の人気駅弁の紹介などとなる。後者については、弁当の製造会社から写真とコメントをもらえば特集は作れる。

アメリカに出てみると、日本においては当たり前だったことが不思議に感じられたことが多かったと気付く。まず、プロ野球の巨人が日本全国で人気があった件である。1990年代になるまで、プロ野球球団は極端に首都圏と関西圏に集中していた。以下、ホームスタジアムの場所である。

埼玉：西武
東京：巨人、ヤクルト、日本ハム
神奈川：ロッテ、大洋
愛知：中日
大阪：近鉄、南海
兵庫：阪神、阪急
広島：広島

「東京的なもの」が全国に増殖しダサさ拡散

アメリカでは都市ごとにＭＬＢ、ＮＢＡ、ＮＨＬ、ＮＦＬのチームがあり、これらの地元チームの試合がテレビで中継される。大学スポーツでも地元大学を応援するものだ。しかし、日本では「巨人・大鵬・玉子焼き」の言葉が存在したように、全国民が知っているような圧倒的人気者が存在する。それはメディアを通じて醸成されるもの。巨人も札幌市円山球場をはじめとした地方都市での主催試合を多数組み、全国人気に寄与した。まぁ、事情としては、日本一の発行部数を誇る読売新聞の拡販にあったと思うが。

こうして東京のチームである巨人が全国で人気になると、「東京的」なものはますます全国に広まるようになる。私の母方の実家は福岡県北九州市だが、祖父は巨人ファンだった。元々西鉄ライオンズが福岡市にいたため西鉄ライオンズファン（その後２回チーム名は変更）だったのだが、１９７９年、西武ライオンズとなり埼玉県所沢市へフランチャイズが移転したところで巨人ファンに転向した。何しろ、西武の試合は北九州では見られず、巨人の試合のみが地上波で放送されたのだから。

北海道に日本ハムが、宮城に楽天が、福岡にソフトバンクが本拠地を構える現在は様変わりしたものの、ひと昔前までは東京の球団である巨人が全国区の人気を誇っていた。芸能人にしても、各地にローカルタレントはいるものの、基本的には東京で活動する人々が全国的知名度を誇る。ローカルタレントも北海道の大泉洋を除き、基本的には東京で成功した人が地元に戻るパターンが多い。

沖縄へ行った時、不思議な感覚に襲われた。もはや東京よりも台湾の方が近い県である。台湾の人気歌手や芸能人がテレビCMに出ているのかと勝手に思っていたが、沖縄で見たテレビ番組は東京発のものだらけで、CMも全国的商品は東京（あるいは大阪）発のものだった。地元出身の安室奈美恵の人気は言わずもがな、東京のSMAPや嵐も人気があった。

野球・テレビという娯楽の面を見てきたが「住環境」についても。ここ20年ほどの「東京的なもの」の象徴は前にも触れた通り、タワーマンションだろう。建物の高さ制限はあるものの、そこそこの高さが許される場所ではタワーマンションが続々と建った。各地で景観条例などにより建物の高さ制限はあれど、高層マンションへの憧れは多かれ少なかれ存在する。これもメディアがタワーマンションこそ「勝ち組の象徴」などとほめそやし、「コンシェルジュがいます！」「共用ラウンジがあります！」とその素晴らしさを強調したからである。まぁ、ディベロッパーがタワーマンションは儲かることを知っただけという理由もあるだろうが。今後も東京を模倣した無個性な都市は増えてくるだろう。私のいる佐賀でも、福岡県北九州市小倉北区のタワーマンションのＣＭが流れ、憧れの生活の獲得を煽っている。

こうして「東京的なもの」は「日本的なもの」に拡大解釈され、東京がダサくなるのに引きずられ、日本全体がダサくなっていく。

【第2章】

海外脱出すれば分かるさ

「東京的」のみならず「日本的」からも脱出だ！

本書では、東京的なものが輝きを失ったことを実例をあげて指摘することに加え、「日本的なもの」ももはや輝きを失っていることを指摘したい。というのも前章で述べた通り、メディアが東京中心である以上、結局「日本的なもの」は「東京的なもの」の延長にあるのだ。

2006年から2021年までの長期にわたりネットニュースの編集者として仕事をしてきたが、膨大な量の記事を編集した経験から分かったのは、日本人および「日本的なもの・日本人的なもの」のネガティブな点だ。結局良い点を上回る悪いものが多過ぎ、これがコロナで爆発し、もう耐えられなくなってタイのバンコクとラオスのルアンパバーンへ逃げた。

日本の良い点についてはいくらでもあるが、それを差し引いてもコロナでは悪い点が出過ぎた。ここでは「海外でもそれはある！」的な反論は不要である。あくまでも、日本人である自分が日本に住む者として耐えられなくなった事柄である。

コロナ騒動において、日本人はテレビが伝えたことがすべて正しいと判断し、自分の頭で考えられず、権威主義に陥った羊の群れのようだった。だからこそ、為政者・政府・役所は絶対に正しいと信じ、彼らに疑問を挟む者は公衆衛生の敵として排除された。そして、権威が述べたワクチン接種・マスク着用・各種感染対策・自粛要請に従う者が圧倒的多数派となり、異論を申す者を猛烈に非難し、排除し、差別してもよいという流れに至ったのである。

そして、これらは諸外国が課した「義務」「法律」と「破ったら罰金・拘留」がないにもかかわらず、社会を覆う「空気」により、事実上の強制となった。さらに、飲食店や商業施設、公共交通機関、役所に勤務する末端労働者が拡大解釈をし、規制を作り実質的な強制・法律化されたのである。これは給食における「黙食」や、スポーツイベントでの「マスク着用のうえ、声出し応援不可」などに表れる。

こうして3年以上が経過し、ようやく2023年5月8日をもって、「新型コロナウイルス」とされたものは季節性インフルエンザと同じ扱いになったが、「推奨」「お願い」を訴えた政治家や自治体、専門家は「私たちはそこまで言っていなかった」と「現場の暴走」に論点をすり替え、しれっと過去の発言をなかったことにする。一方の現場は、「明確な指示がないから安心・安全を最大限確保できるような施策を打った」と言い訳をする。

それが、「カンセンタイサクノテッテイヲー！」のアナウンスと貼り紙を貼りまくる様に表れたのである。

かくして誰もが責任を取らないし、「効果がないにもかかわらず、過剰対策では」と言い続けた人間に謝罪も何もしない。そりゃそうだ。何しろ一般大衆が「マスク警察」「他県ナンバー狩り」「『今すぐ帰れ』の貼り紙を帰省者がいる家に貼る」など、進んで特高警察のようにマスクをしない者や自粛をしない者を密告したのだから。どれだけ権力側にとってはありがたい国民か！　何しろ無料で行動をし、従わない者を罰してくれるのだから。

要するに、一切効果や被害を検証することなく、権威に従って物事が進み、それに国民も素直に従い、将来的には「あの時は仕方がなかった」と過去の過ちを正当化することになるだろう。そう、太平洋戦争と同じ構図である。ただし、今回存在しなかったのは天皇による玉音放送だ。明確な区切りがないまま、5類化した5月8日以降もコロナを怖がる人々はマスクを着け続け、ずるずるとパンデミックの残滓（ざんし）はそこかしこに存在し続けた。

そして、岸田首相や厚労大臣等の「マスクに効果はなかったです」や「ワクチン、まぁ、打ちたい人だけ打てばいいんですか？」「もういちいち陽性者数数えません。２０１９年に戻りましょう」の玉音放送がないため、9月になっても「第9波はヤバい！　マスクをしましょう」「9月20日からのＸＢＢ．１・5型対応ワクチンを打ちましょう！」「第10波はこれまで以上にヤバいかもしれない。経口薬の公費負担は2024年3月まで延長すべき」と医者と医師会が好き放題言い続け、メディアがありがたやーとばかりに彼ら強欲連中の言い分を垂れ流すのである。メディアも彼らと同じ論調だったから、責められるのが怖くてとにかくコロナを引き延ばしたいのだ。

そして、国民もコロナ時代に「ガイドラインを用意してくだせぇ！」『不要不急』の基準を教えてくだせぇ！」と自分の頭で考えられないから、これら強欲連中の言うことに従い続ける。6回目のワクチンは約2000万人が打った。実に素直な国民は、9月20日に開始する7回目を含む「秋接種」を待ち続けていた。その直前に前記のような煽り報道が続出したのだ。

本当に日本人って、ワクチン大好きだな。まぁ、オレは一発も打たんが。

少子高齢化を肯定的に捉えられるのか

こうした専門家のリーダーシップと国民の献身により、結果的に日本は「脱コロナ」は欧米各国よりも1年以上遅れ、さらに引き延ばそうと必死な勢力が2023年10月になっても諦めない。ノーマスクで大騒ぎする2022年11月開催のFIFAワールドカップカタール大会を、パラレルワールドのごときマスク率99％の世界から見ることになったのだ。そして、2023年3月に開幕した野球の世界大会・WBCの東京ラウンドでは、東京ドームの観客席にマスク日本人がズラリと並び、マスクをしない外国人観客と見事な対比となった。準決勝・決勝が行われたフロリダでは当然、一部の日本人観客以外はマスクなどしていない。

これらを振り返れば、「日本的なもの」は徹底的にダサいと思えないか？「不安に思う人に合わせてあげる優しさ」「空気が規定した『強制』に従う従順な国民性（※法的拘束力もなければ罰則規定もない）」「何か問題が起きた時に『最大限の対策は打っていた』と逃げを打ちたいだけの責任回避志向」「とにかく怒られたくない」――これらがいくら無駄であろうとも、日本では「結果」よりも「プロセス」「頑張り」「相性」が重視されるのである。だから結果が出なかったとしても、「最大限頑張ったから良しとしよう」とビジネスの世界でもなりがちだ。完全に他責思考だし、発展する意思があるとは思えない。「失敗したら怒られる」と思うからこそ、ドラスティックに変えることは拒否する。

このダサさをコロナ騒動の3年間貫いた結果、何が起こったか。4月12日、共同通信が配信した記事は「総務省によると、日本人の減少数は75万人で、比較可能な1950年以降で最大の落ち込みだった」とある。政治家にとっての票田である高齢者を優遇し続けた結果、子供を産む余裕がなくなった若手世代が諦めた結果である。本来、第二次ベビーブーム世代が親世代になる2000年前後に第三次ベビーブームが来てもおかしくはなかったのに、結局「第二次ベビーブーマー」は「就職氷河期世代」と呼ばれるに至り、激烈な正社員採用レースに敗れ、非正規雇用が多くなり、結婚はもとより子供を育てるどころではなくなったのだ。

今後も日本の人口は減少を続け、第二次ベビーブーマーが年金生活になった時に財政破綻もあり得る。だったら、「人口6000万人が適正」などと開き直ってその規模なりの政策を発表すればいいのに、安倍晋三元首相は「人生100年時代」「一億総活躍社会」などと言って100歳超の人にまで活躍を要求する始末。普通に考えて活躍するのは大変だろうに。100歳超の人は日々好きなことをして体に負担をかけなくていいのである。基本的には若者が活躍することで社会はうまくまわるのに、少子高齢化の状況を少しでも肯定的に捉えるために無理やり出したスローガンとしか思えない。なんという老人虐待国家だろうか!

とにかく、日本はダサさの塊のような国に成り下がった。ここから復活するのはかなり厳しいだろう。

外国的なものと東京的／日本的の違い

今回のコロナ騒動では、日本の問題点が多数浮かび上がり、それを「東京的」と表現したが、今一度日本の問題点を挙げてみる。

①一度決めた方針を曲げることができない
②自由よりも安心・安全を重視し、そのためならば全体主義になることも厭わない
③根性論で物事を解決しようとする
④周囲の目が気になって仕方がなく、判断基準は「他人がどうしているか」で自我が弱い
⑤責任を取ることを極度に恐れる
⑥権威に弱過ぎる
⑦異論は潰す
⑧とにかく「長生きすることがＱＯＬよりも大事」という精神構造になっている
⑨「他人のために我慢しなさい」の精神が根深い

⑩誤りに気付いても撤回できず、前言撤回をすると責任を取らされるため、間違ったやり方に拘泥し続けやめられなくなる。その際は、間違ったやり方をした仲間を道連れにする

⑪陰湿

⑫全体をバカに合わせようとする

⑬バカなルールであっても「ルールはルール」でバカなことをやり続ける

⑭既得権益を守ることに必死

⑮「無料」と言われれば、ホイホイとそこに乗っかる

このくらいでやめておくが、私が長期間過ごしたアメリカとタイを含む海外的なものについて考えてみる。基本的には「合理的」「修正しながら進んでいく」という2点がベースにある。たとえばハンコだが、こんな非合理の塊のようなものはない。だが、「はんこ議連」（日本の印章制度・文化を守る議員連盟）が存在するように、業界との一定の関係性があるのだろう。「これ、いらないんじゃないか？」と思っても誰かが言い出さない限り、そして「空気」が変わらない限りは終われないのだ。そして終わってみると「あれは不要だったよね」と納得する。要するに、大多数が無駄だと思いつつも口に出せずに、その不具合が続いてしまうのである。

定例会議などはその最たるもので、実際は営業成績等の数字をメールで送ればいいだけなのに、定例会議だから、と毎週続けたりもしている。誰もがその会議は不要だと分かっているのに、「前任の田中さん（仮）が肝入りで始めた会議だからなぁ……」的になり、会議は続いてしまうのだ。田中さんの時代はプロジェクトが立ち上がったばかりで、問題点を出し合ったり、結束を強めるためにも定例会議は必要だったかもしれないが、もはやプロジェクトが軌道に乗った場合は週1回も会う必要はなくなっているもの。

さすがに空気感として「毎週会う必要はあるのか？」というものになったら、今度は2週間に1回になり、そこから1年ほどかけて「1ケ月に1回」となり、その1年後にようやく「メールで数字を共有」になっていくのだ。

物事を変えるのに躊躇し過ぎる日本

アメリカ人と喋っていると「なんのためにこれをやらせるのだ」とよく言われる。日本のビジネスにおいて理不尽だったり非合理的なものをやる理由が、彼らには分からないのである。時々屁理屈に近いものもあったが、こんな会話になる。

「日本人がお辞儀をする意味が分からない。握手やハグの方が気持ちが伝わるだろ。お辞儀というものは、上下関係を表すようにオレは思う」

――それが日本の文化だからオレに言われても……。

「なんで柔道や剣道は精神世界の話になってしまうんだ？　格闘技だろ？」

――『道』というものは追求するべきもので、柔の道と剣の道は一生かけて習得するもの。

「オレは強ければいいと思うがな。それと、なんで日本人女性は何に対しても『かわいいー』と言うんだ？　ハンカチだろうが箸が転がろうが、なんでもｃｕｔｅと捉える意味が分からない」

――アメリカ人がなんでも『ｃｏｏｌ』と言うのと同じ感覚なんじゃないかな。

「なんで日本人は夜、車が走っていないのに信号を渡らないんだ？」

――道交法違反なのと、『お天道様は見てるよ』という慣用句があるから、めぐりめぐって悪事は自分のところに戻ってくる。あと、子供にマネされたくない。

「そんなことで逮捕されるとも思わないし、子供がいない時は渡ってもいいじゃないか」

一事が万事このような調子で、こちらも果たしてどう答えていいのやら分からないぐらい理詰めで責めてくる。

さらには「なんで日本人は人前ではなをかまないのだ。ズルズルと音を立てていてだらしない」とも言う。これには何も反論できまい。ただ、人の目を気にしているだけなのだ。人前でズバズバッ！　と音を立ててはなをかんだ方がすっきりするし、周囲もズルズルという音を聞かないで済む。これについては、アメリカの中学へ行った初日に仰天した。授業中、いきなり生徒が立ち上がり、教室の前にある教壇へ行き、ボックスのティッシュ箱からティッシュペーパーを取り出しズバババッ！　とはなをかみ、ゴミ箱にティッシュペーパーを捨てていくのである。日本ではハンカチではなを拭いたり、学生服の袖で拭く生徒が多かっただけに、その潔さに驚いたのである。しかしまだその日は羞恥心があり、私もはなを教室の前でかむことはできなかった。

マスクもそうだっただろう。「結局、マスクを着けていても陽性者は増えるじゃないか。だったら効果がないんじゃないの？　息苦しいし、コミュニケーションも取りづらいからもう外したい」という空気感が生まれたことで外したのだ。感情・空気よりも論理が優先される国だとこのようにスパッとやめられる。日本は「怖がる人がいるから」「急に変えるのも抵抗がある。移行期間を作るべき」「注意書きに『ただし、必要な場面ではマスクの着用をお願いします』と入れておこう」などと、とかく物事を変えることに躊躇し過ぎる。

あとは給食もそうである。なぜアメリカの学校にはカフェテリアがあり、なぜ給食ではないのか不思議だったが、最近は納得できるようになった。給食でアレルギー持ちの子供に提供すべきではない食材を使った料理を出してしまうことがある。カフェテリアの場合は、いくつかのメニューから自分が選ぶため、学校がその責任を回避できるのだろう。たとえば「ローストビーフサンドイッチ＋牛乳 or オレンジドリンク」「ピザ＋牛乳＋オレンジドリンク」「ブラウニー＋チョコチップクッキー＋コカ・コーラ」などだ。こうして個々の生徒が選ぶため、「アレルギーの情報は書いてあるし、あなたが選んだんでしょ？」と言える体制を作っているのである。

校則・横並び教育が「他人の目恐怖症」を作る

こうした日本人の特質はいかにして培われたのだろうか。大きな影響を与えたのは校則と教育である。コロナ騒動では、商業施設や公共交通機関でのマスク着用強制に異議を呈すると「ルールはルール」「施設管理権があるから店の決めた通りにしろ」と猛烈に叩かれた。

子供の頃から画一的な人間を作り出すのに、日本の初等教育は存分にその力を発揮した。授業の開始時刻や終了時刻を守るのは当然重要だが、どうでもいいことに制限が多過ぎたのである。ここから先は、あくまでも私が神奈川県川崎市宮前区と東京都立川市の公立小中学校と、アメリカ・イリノイ州の公立中高に通った時の例である。

まず、日本では男子小学生は長ズボン禁止だった。冬、どんなに寒くても雪が降ってもそれは絶対である。児童は自衛のため、サッカー用の膝近くまである長いソックスを冬ははいていた。太腿はシモヤケだらけになる者が続出した。

筆記用具の場合はボールペンの使用が禁止されていた。鉛筆とロケットペンシルと呼ばれるものだけは許されていた。これは今考えても本当に謎である。なぜボールペンがダメなのかの説明がなかった。マークシート方式のテストなどをする時に鉛筆なのはよく分かるし、テストの時も鉛筆の方が修正できるから合理性はある。だが、ノートにメモをするにあたっては、ボールペンでも何も問題はない。

どうも、今考えるとボールペンは大人が使うもので、鉛筆は子供が使うもの、といった空気感があったのではないだろうか。仕事にはボールペンが相応しいが、勉強をする場合は鉛筆の方が「小学生らしい」「中学生らしい」というどうでもいい階級設定だったとしか思えないのである。

給食でも、嫌いなものがある生徒は残すことが不可能で、本来の給食の時間が終了して掃除が始まっても給食を食べさせられ続けた。教室の掃除は、すべての机と椅子を一旦後ろに集めて、教室の前方の雑巾がけをする。埃が舞う中、哀れこの子は机と椅子に挟まれた窮屈な場所で苦手な食材を食べ続けさせられるのである。同じものを皆で食べる一体感醸成や、食べるモノも同じがいいという教育なのか。金持ちの子供も貧乏人の子供も同じものを食べるというのは、教育面で良い点はありつつも、選択肢がないという意味では苦痛に思う生徒もいただろう。

少し融通を利かせられたらよかった、と今でも思うことはある。私は「ポークビーンズ」という献立が大嫌いだった。トマトベースの汁にキッドニービーンズと人参とジャガイモとハムが入ったものである。キッドニービーンズとハムがとにかく苦手だったのだ。しかし、残すわけにはいかない。そんな時、この2つの具材をこれらが大好きなクラスメイトに全部食べてもらい、こちらは代わりにパンを少しもらう、という物々交換だって可能だったはずである。

最も能力が低い者に合わせる「全員平等」のいびつ

あとは、体育の授業でも謎の一体感は常にあった。跳び箱は、所定の段数を全員が飛ばなくては授業が進まない。鉄棒の逆上がりができない生徒は放課後に特訓を課される。そして、この一体感を強制させられても、将来の人生において跳び箱を跳ぶ能力も、逆上がりの能力も一切役立たない。さらにひどかったのが中学2年時の体育の授業である。新任の若手熱血教師が、ハードルでかなり有力な選手だったということから、我々の学年は全員が1ヶ月半ほどハードルの授業だけをしたのである。そりゃ、日本屈指の実力があったかもしれないが、運動の苦手な生徒に英才教育を受けさせても意味がない。ただ、教師は各生徒のタイムが上がると喜んだのである。

この教育手法の問題は、最も能力が低い者（実際は、苦手な者）に合わせることである。すると、能力が高い者・得意な者は暇になるのである。だが、「全員平等」の精神を植え付けられているから「もうハードルやめましょうや。オレが学年1位ってことで、『他の皆はオレを抜けないから別の運動をしましょう』ってことでいいでしょうや」とは言えない。物足りなくても、彼は鈍足の同級生のためにハードルを跳び続けるのである。

「できないことはできない」「やりたくないことはやらない」ということではなく「みんなができることがなぜできない」というのが日本の教育の原点にあるのだ。それをキレイに表現すると「脱落者・落伍者・落ちこぼれを作らない教育」となるだろうが、人間なんて個々人の得意分野があるのである。

一体、社会人になってから大谷翔平レベルの野球の能力を求められるだろうか？　そんなワケはない。社会人、特に非組織人は個々人の強みと興味を元に仕事をし、カネを稼ぐのである。フリーランスは仕事で成功するため、ひたすら尖りまくる必要がある。そう考えると、日本の公立小中の教育はこのやり方でいいのか？　従順な兵隊を作るには素晴らしいかもしれないが、アイディアとイノベーションと個々人のギラギラした欲望を発揮させなくては成功できない世界では間違ったやり方である。

ただし、優秀な外国人上司が日本人を管理したら、その従順さと言われたことだけはできる能力から、案外良い組み合わせになるかもしれない。だが、これは奴隷を使っていたプランテーション時代と同じである。

得意と苦手を自分で判断させるアメリカ

一方、アメリカの教育はまったく異なった。4年制の高校に入ると、得意不得意に応じて明確なクラス分けがされる。数学の場合は、学年の異なる生徒が同じ教室にいるのが普通だった。ザッと分けると私の高校では数学の授業についてはBasic-Algebra(代数の基礎)、Pre-Algebra(代数の初級編)、Algebra(代数)、Geometry(幾何学)、Algebra Ⅱ(代数Ⅱ)、Pre-Calculus(微積分の基礎)、Pre-Calculus Accelerated(微積分の基礎上級編)、Calculus(微積分)となっていた。

受講する授業は各人の判断と将来なりたいもの、そして頭の良さに従っている。この数学については、数学が不得意な者は4年間数学の授業を取り、なんとかGeometryまでいって終わりになれる。数学が得意な者は1年次にAlgebraを取り、2年次にGeometryとAlgebra Ⅱ、3年でPre-Calculus Accele

ｒａｔｅｄ、そして最終年にＣａｌｃｕｌｕｓを取る。
だが、Ｃａｌｃｕｌｕｓにまでいける生徒は３００人いる1学年の生徒の内、20名程度だった。さすがにこの科目は4年生しか受けられない。まさに数学エリート達が受ける授業だったが、他の生徒は「オレは数学は苦手だが、体育は得意だ」と自信を持っていた。秘書になることを決めている生徒（ほぼ全員女性）は、こうした数学の授業は最低限取得し、簿記・タイプライティング・ワープロなどの授業を取っていた。

こちらの方がよっぽど多様性を尊重しているし、その分野で極めて優秀な者が同じようなレベルの者同士で切磋琢磨でき、能力を高められるのだ。もちろん、日本でも高校以降は偏差値に応じ学校のレベルが変わっていくが、市に数校しかないようなアメリカの小都市（ただし面積はバカでかい）では、居住地域に応じた公立高校へ行くしかなくなる。

するとその中で各人の得意分野を自分で判断し、自分の道を自分で切り拓くしかなくなるのだ。不得意な者を得意な者が待つような教育はここにはない。さらに、この公立の高校教育で、「オレが得意なものはあるが、オレができないものもある」は明確に培（つちか）われる。デブの数学オタクはスポーツが得意な人間とは接しない。逆も然（しか）り。だから、アメリカは、一芸に秀でた人材を次々と輩出し、世界の覇権を握ったのであろう。

日本の人材は基本的には都会であれば、人気の大企業を志望し、地方であれば地元のより名の通った企業や公共機関・役所やインフラ企業で働くのが黄金コース。そこに乗れた人々は「いいところにお勤めで……。お父様、お母様も鼻が高いでしょう」と言われるものだ。或いは、地元の人から「お前がオレらの中の出世頭！」なんて言われる。

とは言っても地方であれば、将来的に家業を継ぐための準備ができるところへいくこともあり、これは実に地に足が付いた生き方である。決して「周囲を見て自分もコースを決める」ではないので、立派だと思う。

変人を認め、レールを外れても後ろ指をさされない社会

アメリカ時代、よくつるんでいたのは数学・物理好きで優秀なｎｅｒｄ（うすのろ、ダサいヤツ、陰キャ）達だ。当然私もｎｅｒｄだった。彼らと一緒に数学や物理等の学校代表として州大会にも出たことがある。彼らは一人を除き、全員大学へ行ったが、その後の進路が面白い。物理の大学教授、整形外科医、引きこもり、ペットフード工場社員である。

一人だけ大学に行かなかったジェフは、大学に行くための奨学金を得るため、海軍に入る。するとそこで優秀だと認められ、結局海軍に残り、幹部になってしまったという。そして、イリノイ州では優秀とされるイリノイ大学に行ったスティーブは、実家に戻ったと

言っていた。彼は一切勉強しないが、毎度数学のテストの点は良かった。テストが開始すると、「$E=mc^2$」とだけテスト用紙に書き、問題を見る。当然公式は分からないのだが、アインシュタインの相対性理論を理解しているため、そこを起点に自ら公式を作り出し、問題を解いていくのである。

　しかし、致命的な欠点があった。それは「ｅ」と「ｉ」のスペルを間違えるのだ。たとえば、「ウナギ」を表す「ｅｅｌ」は「ｉｉｌ」となってしまう。「空気」である「ａｔｍｏｓｐｈｅｒｅ」は「ａｔｍｏｓｐｈｉｒｅ」で、こちらは一つのｅは正確だが、一つは間違えてしまう。江戸っ子が「ひ」を「し」と発音してしまうのと同じと考えていいのかよく分からないが、とにかくスティーブに関しては「なぜお前はあんなに頭がいいのに、そんな簡単なこともできないのだ！」といつも思っていた。

　そんな彼が実家の地下室で取り組んでいたというのが、ビールの醸造である。その地下室には何度も行ったことがあるが、相当広い。確かにここなら醸造所にできそうだ、と思うものだった。会ったのは32歳の時だったが、「毎週シカゴに樽を持って行くんだよ。そしてカネをもらう。翌週もビールを売りに行ってまたカネをもらう。これの繰り返しだ」と語っていた。

　スティーブ・ジョブズとジェフ・ベゾスもそうだが、とかくアメリカの偉人は「自宅ガレージで制作を開始した（創業した）……」的なエピソードが多い。私の友人のスティーブの場合は「地下室で醸造を開始した」のだが、残念ながら今検索しても彼のビールはメガブランドにはなっていなかった。というか、アメリカ人はあまりにも同じ名前が多過ぎて検索できないのである。

同じように数学・物理好きであっても、こうしてその先の道は多様な国の方が変人は認められるし、レールを外れても後ろ指をさされない社会である。何しろ「かくあるべし」が、よっぽど保守的な家に育った人間以外は、特に決められていないのである。日本は社会全体で「かくあるべし」を規定し、そこから外れた者は徹底的に糾弾の対象になる。だから周囲の目を気にし、怒られないことを仕事の最大のモチベーションにしてしまうのだ。「失われた30年」になるのも当然の話なのである。

もはや「日本的やり方」は世界から取り残されている

２０００年代前半から東南アジアへ行き始めたが、衛生面で日本より劣っている点や、信号があっても現地の人々は信号を守ろうとしないところを見て「民度が低い」と思うとともに、日本の優位性を誇らしく思うことがあった。しかし２０１７年頃から「ムムム……、オレは考えを改めなくてはいけないのかも……」と思うようになった。

ここに大きな影響を与えたのが、日本と東南アジア各国の経済格差の縮まりである。あとは停滞を続ける日本経済と、発展を続ける東南アジア各国の対比だ。かつて経済大国として名を馳せ、東南アジアでは日本人であれば学生ですら金持ち扱いされていたが、完全に２０１７年以降はそうではなくなった。

タイ人も裕福になり、一般的な収入を持つ日本人は躊躇する価格であるスターバックス等外資系飲食チェーンを、タイ人は平気で利用するようになった。グローバルなファストフードチェーンに関しては、日本の方がタイよりも安い。タイでは普通にコーヒーが６００円はする。もちろん、一般的なタイ人は安い屋台や食堂でメシを食べるが、それでも２

000年代前半は100円で食べられた「おかず2品＋ご飯」が2023年は230円ほどになっている。

この経済の状況を考えると「日本的やり方」が今の時代の世界の潮流から遅れており、さらにはダサいのでは、と思い始めてしまったのだ。

今回、日本からの疎開で3ヶ月間、タイ・バンコクとラオス・ルアンパバーンにいた。ここではまず、英語が日本よりも圧倒的に通じる。時々ネットの匿名掲示板「5ちゃんねる」では「外国人が日本で困ったこと」といったスレッドが立ち上がるが、その時に大抵挙げられるのは英語が通じないことである。この意見に対し、日本人の書き込み者は「日本は英語がなくても勉強も仕事も困らないから問題ない」と書くが、それは他国から憧れられる存在だった時に限る話だ。

2022年の早稲田大学トランスナショナルHRM研究所の調査によると、アジアのホワイトカラー人材が働きたい企業の国籍は1位が「自国企業」で82％。以下「米国企業」(67％)、「欧州企業」(58％)、そして日本企業は40％で最下位。2008年はトップが米国系企業で86％、欧州系企業は81％、日系企業は74％だった。「自国企業」は2014年に58％だったが、2022年の82％は大躍進といえよう。

この件に関する『NIKKEIリスキリング』の記事の見出しは『ホウレンソウに不信

感　日系企業はアジアで人気低下』とある。ホウレンソウとは「報告・連絡・相談」の略で、日本の社会人にとっては基本的スキルの一つとされているが、これが外国人にとっては煩（わずら）わしいのだという。記事ではこうある。「　」内は、同研究所所長・大滝令嗣教授の指摘だ。

〈「日本企業はホウレンソウ（上司への報告・連絡・相談）が大事だと言うが、外国人を信用していない、任せてもらえていないと感じることが多い」とも語る。アジアの日系企業は現地社員が新規事業などを提案した場合、現地法人の上司に報告された後、本社で検討、協議されて承認を得るケースがほとんどだ。これではどんなに優れた提案でも、事業開始には大幅な時間がかかる。

現地の市場をもっとも熟知しているのは、本社の人間ではなくローカルスタッフ、権限委譲は大きな課題だろう〉

グーグル検索で「ｗｅｉｒｄ ｃｕｓｔｏｍｓ Ｊａｐａｎ」と入れると、「外国人が考える日本の変な習慣」が出てくる。「cruise.co.uk」というサイトでは『頭がおかしく見えるが、知っておくべき日本の15の習慣』という記事がある。たとえば、家に入ると靴を脱ぎスリッパをはく、というのが奇妙な習慣扱いされている。これは畳を中心とした日本の家では当然のことだし、「変な習慣」扱いは「お前らとは違う」で終了。「4」という数字を「死」と結び付けている、というのもあるが、それはキリスト教徒にとっての「13」や「666」と同じことだろう。「音を立てて食べる（麺類をすする、など）」は、私も下品だと思うが、それはその国個々の習慣である。このように、「それはお前らの国と違うだけだろ。いちいちヘンテコ扱いする必要はないだろ」と思うものも多いが、彼らは非合理的なものを変な習慣だと感じており、ここは認めねばなるまい。いくつか挙げる。

「人前ではなをかんではいけない」

「電車の遅れを謝罪する」

「電車の中で喋る」

「自分のグラスに飲み物を注がず他人がお酌してくれるのを待つ」

この手のサイトは多数あり、他に挙げられているのは「電車で他人の肩に頭を乗せて寝る」「カレンダーがどんな服を着るべきかを規定する（衣替え・クールビズなどを指す）」「選挙カーがうるさい」「立ち食いを下品と捉える」「便所用スリッパがある」「誰かの家を訪れる時は手土産が必須」「居酒屋で出てくるお通し」「エレベーターが閉まるまで来客を見送る」「ファックスをまだ使っている」「印鑑を使う」「駐車時はバックして入れる」。

このように、「日本人の奇妙なところ」を外国人が多数言語化している。「４を縁起が悪い数字と考える」等は「お前ら６６６と13を怖がるだろ。個別の習慣だ」と思う。だが、納得できるのは「カレンダーが服装を決める」というもの。要するに衣替え・クールビズを決めるのは気温・気分ではなくカレンダーに従うことが重要で、あくまでも他人と横並びが安心、であるという点に外国人は違和感を覚える。あとはカーディーラーやガソリンスタンドなどで顕著だが、客を外まで送る時、従業員は客が車を運転し始めると深々とお辞儀をする。そして視界から消えるまでそのお辞儀をし続ける。正直、客としても「もういいから早く店内に戻ってくれ！」と思っているだろうし、従業員も「誠意見せプレイ、うぜぇ」と思っている。このように、丁寧過ぎることがダサいのである。特殊過ぎるのだ。

そして、極めて日本的だと思ったのが、２０２３年３月に英ＢＢＣが報じたジャニーズ事務所の「性加害問題」だ。元々１９９９年に週刊文春が14週間連続で報じたこともあり、多くのメディア人はこのことを知っていた。だが、「普段からお世話になってるから」「タレントを出してもらえなくなるかもしれないから」「毎年売れ筋のカレンダーの販売を許可してくれるから」と各メディアは忖度をし、このことを報じなかったし、ジャニーズのタレントの起用もし続けた。彼らをＣＭに起用する企業も同じである（※私自身が経験したジャニーズへの忖度がある。これは第４章にて明かすことにする）。

この話題が盛り上がった8月、メディアも各企業も基本的には「状況を注視したい」と言うにとどまった。ジャニーズタレントが番組キャスターを務める番組では別の人間にこの件を説明させた。しかし9月に入って藤島ジュリー景子前社長と新社長の東山紀之氏が性加害を認めると、一斉に批判報道が増える。そして、CM起用各社がジャニーズタレントの降板や契約期間内での契約打ち切りを示唆すると、雪崩(なだれ)式に各社が契約を打ち切っていったのだ。恐らく広告代理店に世論を読ませたのに加え、同業他社の宣伝部に連絡をし、対応を聞いたのだろう。とにかく自分で判断できないのが、日本の徹底的なダサさなのだ。

テキトー過ぎ＝融通が利くタイ、ラオス

日本のチェーン店や各店舗はマニュアル主義になっているが、「それを守っていればマイナス評価にはならない」ということが影響している。そして、「お客様を不快にさせない」ということがことのほか重視されている。一つが、コンビニ店員が勤務中に座っていた場合はクレームが入る点である。クレーマー曰く「真剣にお客様に向き合っていない」ということがその主張の根拠だ。

飲食店店員の場合、客待ちの暇な時間、スマホをいじっているようなことはあるが、それが何の問題があるのだ？　商品の陳列は終わっているし、レジ対応の準備はできている。バスの運転手や料理人がスマホをいじっていたらこれは安全面と衛生面から問題になるのは当然のこと。今回タイとラオスへ行ったが「その後ちゃんと仕事すれば別にスマホ見ていてもいいでしょ？」という空気感がどこでも漂っていた。さすがにコンビニは常に忙しいため、店員がスマホを見ているような余裕はなかったが、待ち時間が長いマッサージ店の店先で佇む女性マッサージ師などは、大抵スマホを食い入るように見ている。或いは食

事をしている。

タイ人・ラオス人は腹が減ったら食べる、といった生活をしている。そして食事をすることもサービスを提供するにあたっては重要なことだと考えている。日本では警官がコンビニで買い物をしていたり、自販機でジュースを買っていたらクレームが入るような国である。しかし、治安を守ってくれていればそれでいいのでは。

ではなぜ、サラリーマンが電車の中でスマホを見ているのは許されるのか。理由はただ一つで、所属先が分からないからである。多分、コンビニチェーン本部の紙袋を持っているスーツ姿の社員が電車の中でスマホゲームをしていたら、そのチェーンにはクレームがいくかもしれない。「こんな不真面目な人にサービスを提供してもらいたくない！」という気持ちがそのクレームに繋がるのだろう。

責任を取りたくないから客の申し出は断る

「融通」についてはタイでよく感じた。何しろ、本来、ホテルのチェックインは14時なのだが、部屋の掃除が終わっていたら12時でも部屋に入れてくれるのだ。とあるホテルでは掃除人がいわゆる「ワンオペ」だった。そのフロアを彼女が一人で担当しており、このままでは掃除を頼むと夜になってしまうような状況に。掃除は不要だと伝えると、彼女は床に膝をつけてこちらを拝むようなポーズをして「サンキュー！」とホッとした表情で言う。そして、何のサービスなのかは分からないが、本来は2本しか提供されないペットボトルの水を4本くれたのだ。

タイでは何かと「これはできるか？」と聞いたら「できる」という返事が来た。それこそ、ホテルではチェックアウト後の荷物の保管も8時間やってくれたり、電子レンジでおかずを温めてくれたりする。飲食店でも追加調味料（塩・胡椒・唐辛子入りナンプラー等）を頼めばすぐに持ってきてくれる。だが日本では、昔、某ハンバーガーチェーンでポテトの塩分が足りないため、「ポテト小の袋に少しだけ塩を入れてもらえますか？」と言ったら、若いバイトは奥のマネージャー風従業員のところへ。マネージャー風とともにチラチラと訝しげに私を見て「当店の決まりでそれはできません」と言ってきた。

塩ぐらい用意しているでしょうに！　という言い分は通じない。マニュアルとは異なる申し出には責任を取りたくないため断る、というのが顧客対応になっているのである。日本的思考だと、「その塩を足したことにより高血圧になったとクレームをされるのが怖い」「他の人が同じ要求をしたら対応が困難」が、拒否の理由だろう。タイでは塩胡椒やいわゆる「4種類の調味料（砂糖・ナンプラー・唐辛子・唐辛子酢）」は卓上に置かれてあることが多い。アメリカのピザ屋でも塩胡椒・唐辛子・タバスコ・唐辛子オイルなどが置いてあり、カスタマイズすることができる。

だが、日本ではこうしたカスタマイズはちょっとやりづらい。豚骨ラーメンの店であれば、ゴマやら高菜、紅生姜はあるが、ファミレスでさえ、塩胡椒は別途頼むことが多い。これは、「頑固おやじ」の存在も影響したのではなかろうか。個々の客の舌の状態よりも、その店の店主（頑固おやじ）が作る味こそ至高であり、そこに余計なものを足してはいけない、という考え方だ。

焼肉でもハンバーグでも餃子でも「当店の○○はまずは何もつけずに食べてください」などとラミネート加工の注意書きが示されていることがある。こちらは醤油ラー油をつけて餃子を食べたいのだが……と思うも、店員が「お前、何もつけるなって指導してるよな。まずは何もつけるなよ」という監視をしているように感じてしまう。さらに、自慢の酢入り餃子のタレがあるのだが私は酢はいらない。普通に醤油も置いてくれよ！ と思うのである。

これはラーメンのスープでもそうで、過去にこの店を訪れて味が分かっているから最初からいきなり胡椒やらゴマを入れたくなる時もあるのだが、まずは何も足さないスープをレンゲを使って飲み「ホホ〜ッ」などと感心した素振りを見せてから、自分好みの味に変えていくのである。

タイでは、バミー・ナムという汁あり麺を頼むと、後はこちらに味付けは任される。丼を受け取った後、脇に設置された唐辛子粉・ピーナツ粉・砂糖・胡椒・ナンプラー・唐辛子酢で自由に味付けをする。「オレが基本は作ったから、後はお客さんが好きなようにしてくれ」という方針で、これはまさに大人の対応である。決めてもらわなくてはいけないと考える客、自分のやり方を徹底してほしいと考える店、この２つの思惑が合致したのが日本の飲食店なのだ。ここには「個々人の舌は違う」という考えはない。その点、吉野家1号店（築地）の「ねぎだく」「つゆだく」「トロ抜き」「アタマの大盛り」といった客の希望に応えるやり方は海外的であると感じられる。

海外からホメられないと自尊心を保てないダサさ

この項は、2023年4月、『プレジデントオンライン』に掲載した『コンビニおにぎりと温水トイレに外国人が感激…そんな「日本すごいニュース」に飛びつくのはあまりに情けない　日本人はもっとゴーマンになったほうがいい』に加筆修正したものだ。本書の趣旨に合致しているため、必要だと判断した。

＊

2023年3月21日、野球の世界一決定戦・WBCにおいて、日本代表は見事優勝を果たした。非常に喜ばしいことだし、関係者には心から「おめでとうございます！」と伝えたい。私は2006年、2009年のWBCでも生中継で日本が優勝した瞬間を見ていたので、実に感慨深いものがある。

しかしWBCに関連して、どうしても気になる日本の報道、そして空気感があった。それは「海外の人々が日本を絶賛！」式の記事がネットに頻出したことだ。スポーツ紙のウエブ版、スポーツ専門サイト、ウェブ限定メディアなどがこぞって「これはアクセス数が稼げるチャンス！」とばかりに、すさまじい量の「日本アゲアゲ記事」を掲載したのである。

予選である東京ラウンドが行われていた際、海外の選手やその家族、そして海外記者らが、日本で体験したことをツイッターやインスタグラムなどＳＮＳを通じていろいろと発信した。日本のメディアは、それを基に記事を量産したのだ。正直、それらの大半はＳＮＳを眺めているだけで作成できてしまうようなお手軽記事ながら、これが多数のアクセスを稼ぎ出してしまう。もちろん、Ｙａｈｏｏ！ニュースといったポータルサイトなどにも配信され、アクセスランキングで上位に来る。メディアからすれば、ラクをして数字が稼げるのだからウハウハである。

そうした記事は基本的に「日本人のおもてなしと親切さに外国人感激」「日本の食のレベルとコスパに外国人感激」「日本人選手の紳士っぷりに外国人選手感激」「日本の観光地と娯楽を外国人絶賛」といった内容で、展開も類型的だ。

日本アゲのために利用されたＷＢＣチェコ代表

今回のＷＢＣに関係した日本礼賛記事の中でも、特に話題にされたのがチェコ代表である。同国のメンバーは野球が本業ではない選手が多いこともあってか、「チェコ代表、ロッテ・佐々木朗希からお菓子をもらって感激」などの記事が乱発された。「日本の一流プロ野球選手から親切にしてもらい、格下であるチェコのアマチュア選手がこんなに喜んじゃってますよ」という〝上から目線〟のニュアンスが行間からにじむようで、私はたいへんイラついた。

完全にチェコを見下した論調で日本をアゲようとする姿勢は、たとえるなら、1988年の冬季五輪（カルガリー大会）に出場したボブスレーのジャマイカ代表に対し、強豪国がとったような態度と同じである。相手を値踏みしつつ、「どうです？ 日本の野球ってすごいでしょ？ 日本の先進国ぶりにほれぼれするでしょ？」といったアピールをチラチラ出してくる。

そんな自意識過剰の視点で切り取られた記事が、チェコ代表まわりで数多く見受けられた。1993年公開の映画『クール・ランニング』で描かれた、「所詮は素人」と小バカにするような、あの見下し感だ。同作は、カルガリー五輪に出場した雪のない国・ジャマイカ代表のボブスレーチームの珍道中をコミカルに描いたものだ。作中のジャマイカ代表は要するに寄せ集め集団であり、それまでウインタースポーツに縁もゆかりもなかった素人ばかりがそろっている。そんな弱小チームが、どんなに強豪国からバカにされても誇りだけは失わず、大活躍する。その姿が痛快であり、感動的だったわけだ。
チェコ代表は「日本アゲ」のムード作りのためにテイよく利用されたようなもの。それらの記事を具体的に紹介するのもバカらしいし、コタツ記事（取材もせず、コタツに入ってネットを見て書いた記事のこと）のアクセス稼ぎに手を貸すのも腹立たしいので、あくまでサンプルとして、架空の記事タイトルを３つ作成してみた。ここからニュアンスを感じ取っていただきたい。

【１】ＷＢＣチェコ代表選手、日本代表と対戦し「グレート過ぎる体験だ。日本ありがとう」
【２】ＷＢＣ取材の米国記者、「日本は完璧な主催国である。感服した」コンビニおにぎりと高級焼肉店の弁当、トイレにも感激
【３】日本のファンは「世界一偉大だ」ＷＢＣ取材の米記者とチェコ代表が謝意を示す

ネットの記事作り、とりわけ時事ネタや瞬間的なトレンドを扱うニュース記事は、〝空気をつぶさに読んで、好機と見たら即実行〟の姿勢が不可欠になる。そのため「この傾向、論調のコンテンツがＰＶ（アクセス数）を稼げる」と編集者やライターが判断したら、一気にその方向に突っ走り、各メディアがわれ先に記事を掲載していく。合わせて、いかに早く関連ネタを見つけて記事を量産するかも勝敗をわけるポイントになる。

日本をホメる外国人記者をひとたび把握しようものなら、その人物のSNSを逐一チェック。弁当やトイレをホメたらすぐに記事化していく（実際は「記事」というのもはばかられるような、お粗末な内容のものも多いが）。これをYahoo!ニュースをはじめとしたポータルサイトにも配信し、アクセス増を目指すのだ。要するに「日本礼賛記事のような、読者が気持ちよくなるコンテンツをどれだけ早く、量産できるか」が勝負の肝なのである。「日本すごい！」をいかに安易に感じ取ってもらえるか、を各編集部は考え、カネを稼いでいる。

日本は過ごしやすい、良い国。それは否定しないが……

まぁ、こうした日本礼賛記事が横行してしまうのも、分からなくはない。結局は「読者がそれを求めている」ということなのだから。

たしかに、日本はすごい国である。人々はそれなりに穏やかだし、「おもてなし」の精神を備えた人も少なくない。困っている様子の人を見かけたら「どうしましたか？」と声をかけ、助けようとする場面もわりと多い。エレベーターでは「開」ボタンを押して他人がスムーズに出入りできるようにする。駅のホームでも整然と並んで、できる限り〝押し合いへし合い〟状況に陥らないよう皆が心がける。

大したものだ。店は総じて清潔に保たれているし、観光地やテーマパーク、レジ待ちの行列などで割り込みをするような人もほぼいない。電車は定刻どおりに到着して、1分でも遅れようものなら車掌が謝罪をする。スーパーに並べられた商品は見事なまでに品質が保たれており、不格好な野菜などはまず見つからない。肉や魚介類の下処理も丁寧だし、惣菜は多種多様で選ぶのが大変なほど。ガソリンスタンドでは念入りに窓を拭いてもらえる。

日本ほど丁寧な国は、おそらく他に存在しない。だから、日本人はもっと自信を持っていい。別の表現をするなら「外国人から折に触れてホメてもらわないと、自分たちがちゃんと認めてもらえるか、嫌われていないか、不安になってくる」みたいな卑屈さは持つべきではない、ということだ。外国人様から称賛されないと、自我が保てないとでもいうのか？

そもそも、それなりの常識を持った人間、発言権のある人間、公的な立場の人間であれば、外国に行ったらその国、そして人々、文化、食べ物などをホメたりするのが当たり前の作法である。基本的には本心からの発言であることが多いと思うが、少なからずリップサービスもあるだろうし、ちょっと感心した程度でも「たいへん感銘を受けた」と話を盛ることもあるだろう。別に斜に構えて「本当にそう思ってる?」「お世辞でしょ」などと猜疑心（さいぎしん）を持つ必要はないが、過剰に反応をうかがったりする姿勢も不要である。「そりゃどうも」「ありがとうね」くらいでちょうどいい。

それなのに近年の日本人、そして日本のメディアは外国様から少しでもホメられると、やたらと反応してしまう。その最たるものが前述したようなWBC関連記事のタイトルであり、サッカーやラグビーW杯のたびに登場する「日本サポーターが観客席のゴミを片付け、世界が賞賛」「『日本代表のロッカールームとベンチにはゴミがひとつも残されていない!』日本人の配慮に世界が感動」的な記事である。

朝の情報番組や夕方のニュース番組などでも「外国人が日本の素晴らしさに感動」「日本人にとっては当たり前のアレに、外国人が大注目」といった企画を作っては、日本の良さを発信し続けている。番組内のコーナーだけでなく『YOUは何しに日本へ?』『世界!ニッポン行きたい人応援団』（どちらもテレビ東京系）、『世界が驚いたニッポン!スゴ〜イデスネ!!視察団』（テレビ朝日系）など、番組一本がまるまる、日本人の自尊心を満たすための内容でまとめられている番組すら存在する。

「実は、日本の100円ショップのことを外国の皆さんが絶賛しているそうなんです！」などと司会者やリポーターが大袈裟にネタ振りし、出演者やガヤ連中が「えーっ！」と反応したところでCMへ……。そんな演出がお約束であるこの手の番組、私は大嫌いだ。なぜかといえば、まるで日本人が「ソト」からホメられ続けていないとプライドが持てない、卑屈で情けない民族のように思えてくるからである。

貧乏日本は値段が上がるのは許せない

そもそも、今や衰退国である日本のダイソーで100円のものは、海外では全く価格が違う。2021年のベストセラー『安いニッポン』（中藤玲・著／日経プレミアシリーズ）では、世界各国のダイソーで販売される商品の価格を示しているが、以下のようになっている。

日本：100円／中国：160円／台湾：180円／タイ：210円／シンガポール：160円／オーストラリア：220円／アメリカ：160円／ブラジル：150円。

もはや日本が一番安いのである！　それだけ日本は安過ぎる。要するに「100円を当たり前だと感じる貧乏人からクレームが来るのが恐ろしい」ということである。外国では

「これがベースですから」で日本よりも高価格で販売できるのだが、貧乏な日本は値段が上がるのは許せないのである。正直、ここに出てくるラインナップを見て、オーストラリアとアメリカ以外、日本の方が安いことに恥を感じないか？　と私は感じた。あぁ、これらの国よりも我が祖国は貧乏人だらけで、彼らの方がむしろ経済的優位性があるのだな……と。

私は1987年から1992年までアメリカに住んでいたが、もうウンザリするくらいアメリカ人の愛国心と自信を見せつけられてきた。

スポーツやプロレスの試合で相手国が優勢になると、途端に割れんばかりの「U．S．A．！」コールが巻き起こる――そんな光景を試合中継などで見たことがある人もいるだろう。「何事においても、アメリカが最強で、最高！」と信じて疑わないのがアメリカ人なのだ。私が日本に帰国することを高校の同級生に伝えた際には「ハァ～!?　なんでアメリカみたいな素晴らしい国から出ていくの？　あなたはアメリカにいるべきよ！」「アメリカにはピザがあるのよ！　日本にはないでしょ！」などとまくし立てられたものだ。

また、パスポートを保有するアメリカ人が10％台であることに疑問を呈した時には（現在の日本も10％台）、「あのさ、お前ら日本人みたいにわざわざ外国に行かなくても、オレらにはフロリダ、カリフォルニア、ニューヨーク、テキサス、ニューオーリンズ、ラスベガス、コロラドスプリングス、ナイアガラの滝などサイコーの観光地がいくらでもあるんだよ。なぜ海外に出なくちゃいけねぇんだよ。しかもカナダとメキシコにはパスポートなしで行けるんだぜ（当時）」と強く反論された。

アメリカ人の愛国心はたしかに鼻に付くが、「外国からどう見られようが気にしない。俺たちの国が一番だ」という揺るぎない自信は、日本人も多少見習うほうがいい。

日本人をホメれば小遣い稼ぎになると考える外国人

そうしたアメリカ生活の記憶も含め、「外国人の〝日本礼賛発言〟を欲しがる、日本人の気持ち悪さ」について、旧知の編集者A氏と語り合ったのだが、彼は私の意見に賛同しながら、こんなことを言っていた。

「日本礼賛番組で紹介される『外国人がウォシュレット（温水洗浄便座）に感動』とか『温かい便座に感激』なんて話、初めて聞いた時は面白いと思いましたけど、いいかげん、飽きましたよ。誰だって自国のことを海外の人からホメてもらえれば悪い気はしないだろうし、事実、日本は安全で暮らしやすい国だと思う。でも、他国からどう評価されるかを自分の愛国心の支えにしたり、外国人のリップサービスを真に受けたりする日本人が増えているのだとしたら、なんだか惨めな話ですよね」

さらにA氏は、著名な経営者であるX氏の書籍を制作していた際に聞いた話も教えてくれた。

「Xさんが話していたのですが、日本で暮らす外国のビジネスパーソンたちの間では『テキトーに日本のことをホメそやして、〈日本最高！〉みたいな本でも出せば、ちょっとした小遣い稼ぎが簡単にできるぜ』なんてジョークが酒飲み話などで語られているのだとか。『日本人は、外国人から日本のことをホメてもらえると、尻尾を振る犬のごとく喜ぶ』と感じている外国人は多いらしい。Xさんは『対等に扱われていないことに気づくべき』『外国人のお世辞を真に受けて、満足しているようでは、足をすくわれる』と指摘されていました」

私もまったくもって同感である。現在の日本という国、そして日本人はどこかナメられているのだ。

ちょっと目端の利く外国人であれば、日本がもはや凋落国であることを把握しつつも、まだ多少のカネは持っていて、文化度もそれなりに高く、アジア唯一のG7国としてささやかな影響力も残していることを理解している。「ま、当座は日本のことをホメておくか。そうすれば、まだまだカネが搾り取れるだろうし、何かしらのリターンだって得られる可能性はあるかも」――そう考えて、要領よく立ち回っている外国人も多いに違いない。アメリカの製薬会社が作った新型コロナウイルスのワクチンを、お人好しに7回もキメたのは日本だけである。

とはいえ、成長力や勢いといった点では、日本はいまや完全にシンガポールやマレーシアに抜かれている。GDPの順位も中国に負けて、3位だ。2023年はドイツにも抜かれて4位に落ちる可能性もある。こと電子産業やIT分野では、中国、韓国、台湾といった東アジアの国々に追い越され、挽回の気配すらない。世界における競争力も、存在感も衰えるばかりの斜陽国家――それが現在の日本なのだ。「衰退途上国」とも評される状況だというのに、外国人からおだてられて「よかった、まだ日本は〝いい国〟だと思ってもらえているようだ」と安堵している場合ではない。

バブル期の日本は、よくも悪くもゴーマンだった。当時アメリカにいた私は、日本人駐在員が「アメリカ人は仕事が終わってないのに定時に帰るし、仕事ぶりも雑だ」と見下しているさまを不快に思ったものだ。また、ソニーの盛田昭夫氏と石原慎太郎氏の共著『「NO」と言える日本―新日米関係の方策(カード)』(光文社)という本を読んで「もう少し謙虚になれよ、ジイさん……」と呆れたことを、ハッキリ記憶している。

しかし時は過ぎて、日本の立ち位置は変わった。日本という国、そして日本人は、実に卑屈になってしまった。極論を承知で述べるが、日本人はバブル期のゴーマンさを思い出さなければならない。当時の盛田氏や石原氏のようなゴーマンさの半分でもいいから、日本人は持つべきなのだ。

「日本は一流」と言いつつ30年以上給料据え置き

超少子高齢化社会となった日本において、コロナ対策では完膚なきまでに若者が潰され、老人ばかりが優遇された。2022年には、年間の出生数が80万人を割り込み、過去最低の79万9728人を記録（厚労省が2023年2月末に発表した、人口動態統計の速報値）。今の日本には、明るい未来を予見できるような材料がなかなか見つけられない。

だが、世界有数の交通・エネルギーインフラは整っているわけで、まだまだ負けるだけの弱小国ではないはずだ。

それなのに、この3年間のコロナバカ騒動で日本は完全に世界の潮流から立ち遅れた。他国に比べて被害が軽微だったにもかかわらず、他人の目や世間の空気ばかり気にする臆病で愚かな国民性がアダになったのだ。マスクの常時着用を半ば強制し、あらゆることを自粛し、世界一のワクチンブースター接種国にもなった。ネズミ10匹にしか試していない

XBB.1・5対応ワクチンを9月20日から接種することになり、ツイッターでは「予約がもう埋まっている！　10月しかない！」との悲鳴が上がっている。アホか。お前らはネズミ以上人間以下の存在として扱われたんだよ。

振り返ってみれば、政府が最初の緊急事態宣言を発出した２０２０年４月７日、東京の新規感染者数は87人だった。その程度でも、人々はツイッターで「＃緊急事態宣言を発出してください」と懇願した。今となっては〝セルフ経済制裁〟としか思えない。そして現在に至っても、世界が脱ワクチンの動きを加速させる中、ワクチン政策は止まらないHA－HA状態である。

挙げ句の果てには、新興製薬会社モデルナの工場を日本に建設しようとする動きすら見せている。建設にあたり、政府はワクチン購入の最低ラインをモデルナに約束したうえで、計画を進めることになるのだという。GHQに好き放題やらせ、自虐史観が日本人に徹底的に植え付けられた戦後。それがいまだに続いているかよ！　情けないこと、このうえない。

１９６０年代以降の高度経済成長を経た後に生まれた日本人は、「日本は安全」「日本は技術大国」「日本は民度が高い」「日本は治安が良い」「日本は一流国家」といった意識づけをされながら暮らしてきた。しかし、１９９２年以降、給料はほぼ上がっていない衰退国であるというのが実態だ。

バブル崩壊以降の経済の低迷は「失われた30年」とも評され、それは今も継続中であるといわれている。しかしながら、1990年代後半～2000年代初頭あたりまでは「まだ日本は世界経済において、それなりの権勢を誇っている」と信じる空気はあったように思う。

それはテレビ番組『ここがヘンだよ日本人』（1998～2002年・TBS系）や、コミックエッセイ『ダーリンは外国人』シリーズ（小栗左多里・著、2002年～・メディアファクトリー）といったヒットコンテンツにおいて、日本という国への違和感が表現されていたことからも読み取れる。この頃はまだ「外国人の視点から見る、日本の奇異な点」を、当の日本人がネタとして笑い飛ばせるような余裕があったのだ。だが、そうした空気は次第に薄れていき、2010年代を迎える頃には「『ソト』の目を介して日本の良さを再確認する」コンテンツが注目されるようになった。

実際、2023年2月から5月までタイとラオスで過ごしていた私も、日本の凋落を肌で感じている。日本食のチェーン店は今でも数多くあるものの、かつてドンムアン空港やスワンナプーム空港から市街へ向かう際に多数見られた日本企業の看板は激減した。客引きからも「アンニョンハセヨー」や「ニイハオ！」と声をかけられるようになった。それだけ中国や韓国、台湾の存在感が日本より増しているということだろう。日本人の駐在員は相変わらず日本人相手のキャバクラなどでガハハハ！　と自信満々の様子だが、円建ての給料は大したことないらしい。

今こそわれわれ日本人は、自分自身を見直さなければならない。正直、日本が戦後発展した理由は「朝鮮戦争特需」「欧米様が生み出した家電や自動車の性能・機能を向上させた」という2点に集約されると、私は考える。いわば「ラッキー」と「パクリ」が日本を発展させたのだ。

「ソト」からホメられたいという意識を捨てよ！

１９９０年代中盤以降、インターネットが人々の暮らしにおいて重要な位置を占めるようになり、ゲームチェンジが起きた。今やビジネスの要点は「新たな仕組みを生み出す発想力や技術力」「すべてをかっさらえるプラットフォームで先行者利益に浴する」といったあたりにシフトしている。

だが、哀れかな、日本には新しい仕組みを生み出す能力が壊滅的になかったのだ。せいぜいスマホゲームを開発し、ユーザーの課金をアテにする程度のことしかできなかった。

「スマホが次の携帯端末の主流になる」という気運が生じつつあった頃も、「機能を増やせば、まだまだ評価されるはず」と日本はガラケーの強化に勤しんだ。発想の方向性が「あるものをいかに活用するか」に偏りがちで、「これまでこの世に存在していなかった、まったく新しいものを生み出す」という思考が苦手……という日本人の弱点が浮き彫りになってしまったわけだ。

もはや、戦後日本の〝繁栄の残滓〟のような「野球が強い」「サービスの質が高い」「魚がウマい」くらいしか、日本人はすがれないのかもしれない。であれば、冒頭で紹介したようなWBCの「ニッポン、すごいですねー！」報道ばかりになるのも、まあ道理だろう。

繰り返すが、日本人はもっとゴーマンになっていい。そこで重要なのが、自分たちの弱点を正しく認識し、それを克服するためにはどういう意識を持つべきなのか、必死に考える姿勢だ。他者の目を過度に意識し、空気を読んでばかりでは、日本の将来は危うい。

些細なことかもしれないが、まずは『ソト』から日本をホメてほしい」といった、評価軸を自分の外部に置くような意識を捨てよう。そのためにも「外国人による日本礼賛」から一定の距離を置いてみてはどうだろう。こうした意識は「他者からどう見られるかが人生の一大事で、いちいち空気を読んでいないと落ち着かない」といった日本人に根付く負け犬根性から脱却することにも繫がってくる。

加えて、「ソト」からの評価を気にしてばかりいると、結果としてモノの見方が偏狭になり、「最大の関心事は、自分（たち）が『ソト』からホメられるかどうか。それ以外はどうでもいい」という歪んだ自意識を育んでしまうことがあるから、ますますタチが悪い。弱点と向き合わず、耳当たりのよい言葉だけ探してしまう状態だ。

前述のように、１９９５年に野茂英雄がＭＬＢに移籍して以降、ＭＬＢ、海外サッカー、ＮＢＡなどに日本人選手は続々と参戦したが、日本の報道の多くは「その日本人選手がどんな成績を収めたか」だけにフォーカスしがちだ。それは最近の「なおエ」報道にも表れている。

「なおエ」とは、大谷翔平のその日の様子ばかりに文字数を割き、最後の一文で「なお、エンゼルスは１－４で負けた」とそっけなく締める報道のことである。試合結果はどうでもよく、海外で日本人選手がいかに活躍したかだけが大事。なんとも視野が狭くて、甘っちょろいではないか。正直、大谷はアメリカ全土ではそこまで注目されていない。何しろアメリカのスポーツファンは地元のチームにしか関心がないからだ。だが、日本のメディアはとにかく日本人選手が活躍すれば「全米が賞賛！」的報道にする。

アメリカ在住のタレント・野沢直子が大谷についてニッポン放送で語ったことが象徴深い。もはや大谷は全米で人気である、といった空気感を醸し出さなければいけない、という日本の閉鎖的空気感に対して遠慮がちに言ったことだ。『ＦＲＩＤＡＹデジタル』の記事には以下の記述がある。

〈その野沢に『ナイツ』塙宣之が「大谷翔平って『アメリカでは人気ない』って言う人がいるんですけど、メチャクチャ人気ありますよね？」と質問。すると野沢は「なんか若干炎上したら嫌なんだけど……」と前置きした上で「人気はあるんだけど、その野球自体が……。野球好きな人は野球見るけども、やっぱりアメリカってさ、バスケとアメフトなわけよ。そこに比べると、（野球は）ちょっと地味なスポーツっていう印象がある」〉

日本にいると全アメリカ人が大谷を愛しているように感じるかもしれないが、そうではないことを野沢は遠慮がちに言ったのだ。これも日本のガラパゴス化が進展していることの証左である。

結局、自分と真摯に向き合い、自分を軸にして物事を捉えること。その上で、何事も自ら判断を下し、行動を起こしていくことでしか、活路は開けないのだ。「他者（他国）と協調して」といえば聞こえはいいが、それで自分を見失ってしまっては元も子もない。

外国人が抱く違和感「日本人はクレーマーに弱過ぎ」

２０２３年に入ってから海外から来た旅行客を目にする機会が一気に増えた。テレビでは外国人観光客が「日本すごい！」と絶賛しているシーンもよく放送されている。だが、そこにはもちろんリップサービスも含まれているだろうし、すべての面で満足しているとは限らない。日本に居住する外国人に話を聞くと、日本の快適さや良さは理解しつつも、耐えられないことがあると、その不満を口にすることがある。外国人は日本のどんな点に違和感を抱いているのか。日本在住外国人と話す機会があった。

きっかけは、『「過剰アナウンス大国」日本の病理…自分の頭で考えて判断を下せない〝世界一幼稚な国民〟はどこへ向かうのか』（現代ビジネス・２０２３年3月31日）という記事を寄稿したことにある。そうしたら、日本で暮らす外国人（特に欧米系）の人々から私のツイッターに「素晴らしい分析だ」や「私も同じ気持ちで、これが日本で不快なことなのだ」的なメッセージが寄せられ、相互フォローになり、5月20日に東京で飲んだのだ。

彼ら／彼女たちは、日本での生活には一定の満足感を抱いている。街を見渡しても清潔だしサービスは良いし、人々は比較的穏やかで親切だし、物価は安いし、公共交通機関は時間に正確だし、食べ物はウマい。しかも、母国通貨で給料をもらっていれば、円安のおかげで円換算すると給料も高くなる。こんなにいい国はない！　しかも、この日来たのは、アメリカ人男性、イギリス人男性、フランス人男性、セルビア人女性とその夫の日本人男性。外国人全員が日本人の配偶者を持つだけに、この国には十分馴染みも地縁もあるわけだ。

それはそれで素晴らしいことだし、私も同じ日本人として誇りに思う。とはいえ、彼らが長年育ってきた環境からすると、「日本社会の幼稚さ」「非合理さ」「他人の目を気にする」「クレーマーに弱過ぎる」「余計なお世話が多過ぎる」には、耐えがたい面もあるようだ。日本という国は「丁寧であればあるほどいいだろう」という前提があったうえで、「不快に思わない人を極力増やすべく対策を取るべき。クレームは回避したい。そのためにはクレームを言ってこないであろう少数派の我慢は必要」ということが行動原理になっている、と分析していた。これがダサさの根源にある。

「過剰アナウンス大国」に疑問を持つ外国人

それは個人主義が徹底された欧米の人にとっては正直ウザい。彼らからすれば「私はいちいち行動に指示されたくない」「私は子ども扱いされたくない」となる。その象徴が「過剰アナウンス」によーく表れているのだ。

電車に乗ると車掌ないしは自動アナウンスが延々と喋り続けている。次の駅名とどちらのドアが開くかを伝えるのは、誰にとっても、特に視覚障害者には重要なこと。しかし、「一人でも多く座れるように座席は詰めろ」「ドア付近の人は一旦ホームに降りろ」「電車が揺れることがあるから立っている人は手すりか吊革に摑まれ」に加え、コロナ期は「時差通勤しろ」「リモート勤務しろ」「ソーシャルディスタンスを取れ」「マスクをしろ」と連呼された。しかも、丁寧に英語・中国語・韓国語でも流すものだから、車内は次の駅に着くまでアナウンスシャワーのごとき状況になる。

こうした状況が、公共の場での過剰アナウンスには慣れていない外国人にとっては苦痛だったようだ。確かにこの手の怪獣ギャオス的絶叫アナウンスはチェコやドイツでは当然のこと、アメリカやタイでも聞かなかった。ラオスでは皆無だった。

日本のアナウンスに対する実際のコメントを見ると、こんなものがあった。私に対してツイッターで相互フォロー関係になった人からのＤＭの言葉も含めて紹介する。

「『過剰アナウンス大国』これはいい言葉だ。まさに私の妻が苦しんでいることだ」

「このような分析記事が出るとは。日本人もこの過剰アナウンスに違和感を持っている人がいるのか」

「良い分析をありがとう」

正直、この「過剰アナウンス大国」の記事は、在留外国人の人向けに書いたわけではない。それでも、同記事に反応した外国人は多く、その中のひとりであるアメリカ人ジャーナリストからの誘いで、この飲み会に至ったというわけだ。

もちろん彼らは、日本で暮らすのは快適だと思っているし、好きだからこの国にいるわけだ。しかし、アメリカ出身の芸人・厚切りジェイソン的に「Ｗｈｙ Ｊａｐａｎｅｓｅ Ｐｅｏｐｌｅ!?」と言いたくなることも多い。

日本で暮らす外国人たちは、日本を見下しているわけでは決してない。しかし、常にどこかしらの違和感を持っている。それはＧ７に加盟する先進国でありながらも、異常に低い英語能力への落胆にも表れる。日本人が駆使する英語は「Ｅｎｇｒｉｓｈ」と呼ばれている。本来は「Ｅｎｇｌｉｓｈ」だが、日本人は壊滅的に「Ｒ」と「Ｌ」の発音の使い分けができない。「らりるれろ」は日本人にとっては同じだが、英語では「Ｒ」と「Ｌ」はまったく異なるもの。

Ｌｉｇｈｔは「軽い・光」などの意味だが、Ｌを日本人にありがちなＲで発音すると「右・正しい」になってしまう。これは元の言語の発音の仕組み上、やむを得ないことではある。ただ、発音以外にも日本の英語があまりにも無茶苦茶なことにはうんざりしているようで、それを見つけたら写真撮影をし、ＳＮＳのＥｎｇｒｉｓｈコミュニティでシェアしたりしている。

１９９０年代前半、「夜間押しボタン信号」にはこのように書かれていた。正確ではないが、私の記憶を辿ってみる。「Ｔｏ ｃｒｏｓｓ ｔｈｅ ｓｔｒｅｅｔ，ｐｕｓｈ ｔｈｅ ｂｕｔｔｏｎ ａｔ ｎｉｇｈｔ．」これを訳すと「この横断歩道を渡る時は夜のうちにボタンを押してください」となる。テレビ番組で大橋巨泉氏が指摘をし、その後真っ当な表記に変わった。

最近でも某家電量販店の「万引きは犯罪です　見つけた際は直ちに警察に通報します」の警告の英訳が無茶苦茶だとネットで話題になった。そこには「Ｔｈｅ ｔｈｉｅｆ ｗｉｌｌ ｉｍｍｅｄｉａｔｅｌｙ ｃａｌｌ ｔｈｅ ｐｏｌｉｃｅ．」とある。これを訳すと「泥棒はすぐさま警察を自ら呼びます」とあり、「なんという立派な泥棒だ！」と嗤われた。本当なら「Shoplifting causes immediate police notification.」と書けばよかっただろう。

東南アジアから見えた「質が高い安い国・日本」

コロナ騒動を世界は終えたのに、まだマスク着用をし続ける人が多い日本に違和感を覚える外国人も多い。4月は、ラッシュアワーの駅のホームでマスク集団を撮影する欧米人も目撃され、その様子がツイッターで公開された。「クールジャパン」などと日本独自の良さが強調されることもあるが、一方で過去に作家・椎名誠氏が指摘したように「東洋の怪奇」として感じることもあるのだ。

こんなことを書くと、「日本には四季と安全な水道がある！」と、その良い面ばかりを主張する人もいるが、そんなことをずっとネットで主張していたところで、今の日本が置かれた状況は、何も変わらない。

２０２３年2～5月の東南アジア滞在の経験も踏まえて一言で言うなら、日本はもはや「質が高い安い国」でしかない。このままではなんでも外国人に買い叩かれて、衰退の一

到着後、最初に出かけたタイの飲み屋にて。

途だろう。

なんとか海外からのお客様に丁寧に対応しようとしても、生粋の英語力の低さが露呈して、「Ｅｎｇｒｉｓｈ」扱いされてしまう始末。おかしいと思っていても「過剰アナウンス」もやめられない。日本のためにも、外からの違和感に反発するだけでなく、それを聞き入れ、咀嚼（そしゃく）すべきでは。

当日、彼らが話したのは過剰アナウンスだけでなく、延々終わらない日本のワクチン政策、悶絶の満員電車、なぜ日本人はマスク信仰がここまで凄まじいのか、といったこと。前出の飲み会に参加したセルビア人女性からは意外なことも聞いた。それは、日本人男性からセクハラめいたことを言われ、それが苦痛なのだとか。若い白人の女性は性的対象として見られがちで、しかもおとなしそうな彼女はその毒牙にかかってしまったのだ。途中、深刻な顔をして「もうセルビアに彼と一緒に戻ろうと思う」と言ったので「それがいいと思う」と伝えた。

この日は一次会の居酒屋から新宿ゴールデン街の立ち飲み店へ行き、最後は外国人だらけのバーで大騒ぎ。外国人と見ると身構え、萎縮してしまいがちな日本人が多いのもあり、さらには英語力が低く会話にならないため、このようなコースになると言っていた。まずは英語から学び始め、「日本は単一民族である」などと幻想を誇るのはさっさとやめるべきであろう。

【第3章】

こんな日本人に誰がした！

「させていただく話法」ですべて許されると思うバカ

日本語の丁寧過ぎる喋り方というのも、日本をダサくする。何しろ、上下関係を明確に作るほか、「お客様は神様です」思想を強化してしまうのだ。これは、広告会社がクライアント企業でプレゼンをしたり、半公共的施設が客を招いた座談会等をする際に顕著になる。

札幌ドームが実施した「2018年度 モニター座談会レポート」は読んでいてもう「この現場に絶対いたくねぇ〜!」と思うようなものだった。とにかく運営会社の札幌ドームが「お客様の貴重なご意見をお聞かせいただけませんでしょうか」的にへりくだりまくっているのだ。顧客の声を聞くよりも、プロの自信をもって従業員の考えを基にサービスを提供したり商品開発をした方が画期的な商品はできると思うのだが、どうも日本企業は客の声にこそ金脈が眠っていると考えている節がある。

某納豆メーカーが、納豆のタレの袋を切る時に「タレが手についてしまったり飛び散るのが不快」といった客の意見を受け、ジュレ状のタレの納豆を開発。発売当時こそ話題になったが、ジュレ状のタレ製品は納豆業界を席巻していない。結局一部の不満を持った人間の意見を聞き過ぎたのだ。私もジュレ状のタレなど、ゼラチンでも入ってるんか？　と思い買いたくない。普通のタレで十分である。

　これはこの納豆メーカーが真摯に向き合った結果ではあるものの、大部分は「客の声を聞いた」というアリバイを作りたいだけだ。札幌ドームの件に関し、一部〈〉内で引用してみよう。これらは、モニターの声紹介前段の札幌ドームによる質問内容の解説部分と、座談会開始前の同社従業員の喋った内容だ。

　このモニターツアーと座談会は、札幌ドームの使用料が高過ぎると指摘する報道を受けてのものだと推測できる。２０２３年から北広島市のエスコンフィールドに出ていく北海道日本ハムファイターズを念頭に置き、これからも札幌ドームを市民に愛してもらえるよう、そして企業等は利用してもらうべく実施したと読み解ける。

〈当社社員の案内で、これまでに改修した主な箇所（マルチディスプレイ・スタンドの階段手すり・トイレなど）をご覧いただき、普段感じていることや感想をお聞きしました〉

〈レストラン「スポーツ・スタジアム・サッポロ」にて、ランチならびにファイター

ズ絶品グルメをお召し上がりいただきました〉

モニターに参加する人々を素晴らしいアイディアを持つプロフェッショナルかのように持ち上げている。何が「お召し上がりいただきました」だ。モニターと座談会に参加するような人々が金持ちで「絶品グルメを召し上がる」ような人々ではないだろうよ。「スタジアム飯を体験してもらいました」でいい。

〈これからもそのポテンシャルを活かして、市民・道民の皆さんにより親しまれ、多くのお客さまがワクワクしながらご来場いただける施設を目指していきたいと思っています。本日の座談会でも皆さまからご意見を賜りながら、できるだけ多くのお声を反映させ、より魅力ある札幌ドームを目指していきたいと思いますので、ぜひ皆さまから忌憚のないご意見を頂戴したいと存じます。本日はどうぞよろしくお願いします〉

中身がない！　ただ美辞麗句を述べているだけである。「ご意見を賜りながら」って、「感想を自由に言ってもらって」だろ！　何が「お声」だ！

〈プロ野球では、スタジアムの運営会社と球団が別々かつグループ会社でもないのは、当社のほかに東京ドームさんと読売ジャイアンツさん、神宮球場さんと東京ヤクルトスワローズさんです。札幌ドームは多目的施設としてサッカーやコンサートにも対応するため、ファイターズさまに施設運営を全て任せるとの判断にはなりませんでした。

札幌市としても、ファイターズさまにはドームに残っていただきたかったし、札幌市内に新球場を建設できるよう、候補地探しにも取り組んできたと思います。ファイターズさまが２００４年にこの地に来てくれて、多くのファンにご来場いただけるようになり、プロ野球を楽しむ文化も根付きました。この文化を続けていきたくて、真駒内公園のほか、八紘学園さんや北海道大学も候補地に出来ないかと検討を進めた経緯があります〉

札幌ドーム社は札幌市から委託され、札幌ドームの管理運営を行ってきたが、札幌市に関する主体は呼び捨てで、その他は「さん」付け。さらに、「お前ら金額が高いんだよ！出ていくわ！」と席を立つことを宣言した大得意先である北海道日本ハムファイターズに至っては「ファイターズさま」である。

〈ご不便をお掛けしている点が施設側の問題なのか、イベント主催者さまによるものか、皆さんには分からないと思いますので、どんなお客さまでも分かりやすい施設となるよう、主催者さまともよく話していきたいと思います〉

丁寧に言いさえすれば、裏にある怒りやら失望、さらには儲けたい気持ちは許されると考えるのが日本語の「させていただく話法」であり「〇〇さん」「〇〇さま」話法である。何が「神宮球場さん」だ。後でこうしてレポートする時に「オレらのことを呼び捨てにしたな！」と神宮球場から不快に思われることを恐れているだけである。そして神宮球場は「さま」を付けられなかったとしても怒りはしないだろう。だが、彼らが同様のことをしたら「甲子園球場さま」は言うかもしれない。まぁ、神宮球場ほどニーズのある球場はそこまでへりくだらないとは思うが。

総合的に判断、個別の案件にはお答えできない

日本語というものは便利な使い方がある。その代表格が「総合的に判断する」「個別の案件にはお答えできない」「訴状が届いていないのでお答えできない」「仮定の話には答えられない」「個人情報なのでお答えできない」の5つだ。いずれも「答えたくない」ということを、正当化するだけだ。本当はこんな答えで納得できるわけではないのだが、日本社会とメディアはこれらの言葉を聞くと「じゃあ仕方ないな」というモードに入ってしまう。

一つ一つこれらの言葉の問題点について見てみよう。法律家は特に「訴状が届いていないのでお答えできない」については「だってしょうがないじゃん！」と言いたくなるかもしれないが、「訴状が届くことが分かっている中、内容もあらかた分かっているわけだからそのうえでの見解をください」ということなのだ。しかも訴状が届いた後になると「係争中なのでお答えできない」「捜査に影響を与えるのでお答えできない」が来る。どちらにせよ答えたくないことに対する方便でしかない。これが日本人のダサさに繋がる。都合が悪くなると、「この言葉を言っておけば逃げられる、いぇーい！」という逃げる術(すべ)だけ

は名人芸を発揮するのである。それではこれら5つの言葉の真の意味を解説する。

①「総合的に判断する」：全体最適を考えて決定を下すという意思は感じられるが、基本的には社会の空気感に合わせて無難な結論を下すだけであり、時間稼ぎをするための言葉。

②「個別の案件にはお答えできない」：じゃあ、全体の案件については答えられるのかオラ？　という質問をしたくなるような回答だ。だが、なぜ「個別の案件」に答えられないのかの意味が全く分からない。たとえば、「今回の洪水で土石流が甚大な被害をもたらしたこと、原因はどうお考えですか？」と聞かれたとしよう。その時に「個別の案件にはお答えできない」なんて答えがまかり通るか？　無理である。個別の案件が問題なのだから、個別の案件に対する質問をしているわけだ。私は本当にこの「個別の案件にはお答えできない」が正当な回答拒否の方便として成立している理由が分からない。

③「訴状が届いていないのでお答えできない」：訴状が届く場合は、もう内容は明確なのである。「パワハラを受けた元社員が会社を訴える」などはすでに報じられており、そこに対して会社はいかに対峙するか？　が求められているのだ。「訴状が届いていないのでお答えできない」というコメントが記事化された場合、原告とすれば「なんじゃゃワレ！」と思うに決まっている。せめて「これから裁判になりますが、互いに主張をし、あとは司

法に判断してもらいたいと思います」程度のコメントでいいのに、「訴状が届いていないのでー！」で逃げようとする。アホか。

④「仮定の話には答えられない」：これも頻発する逃げの回答だが、多くの質問は仮定に従っているのである。たとえば、プロ野球のシーズン開始前、監督に取材をしたとしよう。ここでは２０２３年シーズン開始前の阪神タイガース・岡田彰布監督への取材だ。優勝のことを「アレ」と言い、シーズン中は「おーん」をはじめとした岡田語録がスポーツ紙各社から重宝され各紙が一問一答を掲載し、その記事は人気となった。

「岡田さん、今年はズバリ、何を狙いますか？」

「仮定の話には答えられません」

「今年は新外国人選手のノイジーが打線で重要になるかと思います。ノイジー選手は何番で起用する予定でしょうか？」

「仮定の話には答えられません」

「今年の阪神は投手力が抜群です。青柳投手と西勇投手が二枚看板だと思いますが、その他に期待するローテーションの３番手投手はいますか？」

「仮定の話には答えられません」

岡田氏は優勝のことを「アレ」と濁すような形にしているため、こんなバカな受け答えをするわけはないが、「仮定の話……」話法をプロ野球の監督に当てはめるとこのような意味のないやり取りになる。それにしても岡田監督、阪神優勝おめでとう！

⑤「個人情報なのでお答えできない」：これには本当に参った。役所や企業に取材をする際、別に「御社の経理部の山田義彦さんの電話番号を教えてください」などと聞くわけでもない取材でも「個人情報なのでお答えできませ～ん」を何度言われたことか。それこそ、「御社の男女比」「御社の平均年齢」ですら「個人情報なんで～」で押し切られてしまうのである。結局「何か問題が発生した時に私のせいになってしまう」ということから、「個人情報なんで～」は登場するのだ。どう考えても男女比や平均年齢を明かすことが個人情報保護法違反にはならない。「集団情報」である。当初、個人情報保護法が規定していたのは5000人以上の個人情報を保有する企業に関するものだったが（2017年の全面施行で5000人分未満も対象化）、そうでない会社もなんでもかんでも個人情報なんで～、で仕事から逃げようとしたのである。

とにかく日本語という言語は、責任の所在を不明瞭にし、結論を出さないための方便が実に豊富である。だから決められず、ダサい国に落ちぶれていくのである。

日本は民度が高い⁉ 幻想は壊すべきである

日本の民度の高さはしばしば言われるが、海外経験も多い私はまったくそう思わない。

2023年4月24日の神戸新聞NEXTに掲載された『常設から半年、ルールやマナーを守らないから…　JR加古川駅のストリートピアノ、30日で運用休止・撤去へ　兵庫』はその典型だ。マナーを守らない客により苦情が加古川市や駅に寄せられ、もはや運用を続けられなくなったのだ。性善説がぶっ壊れたのだ。読んでいてムカムカした記事だったので、該当部分を引用する。

〈市によると、通行者が不快に感じる音を奏でたり、運用時間の午前7時～午後9時を超えて弾いたりする利用者がいたという。酒を飲んだ状態や、禁止している歌唱をしながらの演奏のほか、1回10分程度と定めた使用時間が守られないケースもあった。

同駅が列車遅延などの構内放送をする際は、聞こえにくくならないように、ピアノに利用中止の掲示をしていたが、守らない人もいたという。市はピアノの音量を抑え

る器具を取り付け、注意事項の掲示を演奏者に見えやすい場所に変更。市職員が直接、ルールを守らない利用者に注意することもあったが、改善されなかった〉

第4章の「転売ヤー・旅行割……ショボい儲けが好きな日本人」の項目でも書いたが、日本の民度は決して高くない。他国民より穏やかかつ、度胸がなく、犯罪が少ないだけである。車いす利用者等の優先エレベーターも後からズンズン人が入ってきて乗れないという車いすユーザーの訴えに対しても、「普通に抜いているだけだ」という反論が来る。

痴漢も相変わらず終わる気配は見せないから、日々の通勤が怖くて仕方ない人を生み続けている。国会答弁はのらりくらりとかわすだけだし、1993年に開始した外国人技能実習制度にまつわる多数の問題についても2023年になってようやく改善に乗り出そうとした。問題点は、人手が足りない農業や建設業、介護業にベトナム人やインドネシア人を就かせて低賃金で働かせることにある。決まった期間は転職もできないし、日本人によるパワハラとモラハラも横行。技能実習生たちは少しでも良い生活をしようと、そして家族に仕送りをすべく日本へ渡ろうとするも、母国のブローカーに多額のカネを払い、逃げられないようにもなっている。左派が主張する「彼らにも選挙権を！」というのにはさすがにどうかと思うものの、何しろ日本という国は他者に対する人権意識が低すぎる。

カネさえ払えば何を言ってもいいという誤解

それでいて、自分の人権については実に意識が高く、さらには「クレームした者勝ち」状態でなんとかトクしようとする。２０２３年6月2日の21時54分に京都新聞が配信した記事のタイトルは『「野宿しろということか」乗客怒り　運転取り止めの東海道新幹線、近くのホテルも満室　16時間後に運転再開』。これには民度の低さを感じざるを得ない。

この日、大雨の影響で東海道新幹線の東京―名古屋間の運転が中止された。この列車には京都新聞の記者が乗り合わせていたため、このような記事が掲載された。

東京駅14時発の「のぞみ」が14時50分頃、大雨が続く静岡県内の状況を受け、新富士駅近くで止まった。この後はさすがの新聞記者。もはや要約もできない完璧な文章のため、引用する。

〈5時間近く経過した午後7時40分ごろ、「関東、東海地区の大雨の影響により全列車の運転中止を決定した。明日以降の運行予定は一切決まっていない」とのアナウンスが突然流れ、周囲で「ええっ」との驚きの声が漏れた。

午後8時10分すぎ、列車は少し移動して新富士駅のホームに停車した。「駅周辺の

ホテルは満室で、最寄りのコンビニは徒歩10分程度かかる」とのアナウンスが流れる中、乗客の多くがいったん下車した。この先、列車がどうなるのか、車内にいてもいいのかといったアナウンスはなかった。

駅ホームにいた係員は「列車は回送になるかもしれない。このまま車内にいられるかどうか分からない」と述べ、別の係員は「朝までは車内にはいられない」と話した。駅の改札付近は、多くの人で混み合った。新横浜から大阪に向かう途中だという乗客の女性は「きちんと説明せず、ホテルも一杯。車内にいられるかどうかも分からなんておかしいし、野宿しろということか」と怒りをあらわにしていた〉

この件については、補足が必要である。この日、ＪＲも天気予報もかなりヤバい雨が来ることは事前に言っていた。ＪＲからすれば完全に「無理して乗らないでくださいね……。私達も目的地まで定時に着けるか分かりませんし、止まる可能性もありますので」……という「警告」である。当然公共交通機関が乱れる可能性も予測されていた。結局、それを信じるか否かで「自己責任」である。正常化バイアスを持った人は「天気予報はそう言っているが、さすがに新幹線は強いだろう。私は無事家に帰れるはずだ」といった判断をして、新幹線に乗った。そして帰宅難民になった。慎重な人は、「これは無理だな」と判断し、東京に留まったことだろう。

しかし、帰宅難民になった正常化バイアスの人々は自身が判断したにもかかわらず、〈「きちんと説明せず、ホテルも一杯。車内にいられるかどうかも分からなんておかしいし、野宿しろということか」と怒りをあらわにしていた〉とある。

「きちんと説明せず」と自己正当化するが、いや、説明をしたのに新幹線乗車を強行したお前が悪いんだろう、としかこれは思えない。

こういったクレームを付ける人間は、カネを払った客であれば、何を言ってもいいと考えるタイプである。完璧なサービスを受けられると考えているのだ。だから、海外で不愛想な店員等に接すると「やはり日本のサービスは素晴らしい」と、バカテレビ番組のごとく「日本すごい！」と言うのである。一方、日本で電車の遅延等に遭遇したら全力で駅員にクレームを入れ「大事な商談に行けず、これで損害が出たらカネを払え。さもなければタクシー代を出せ！」などと恫喝するのである。こんな連中の民度が高いワケがない。

積極的に行列に参加するのは強欲の表れだ！

街中でも時々大行列ができていることがある。私は行列に並ぶ趣味はないものの、行列を作る行動原理には興味があるため、最後尾の人に「この行列何ですか？」と聞くこともある。するとその人からは「よく分からないのですが、みんな並んでるので、何かもらえるか、おいしいものがあるか、有名人でも来るんじゃないかと並んでいます」との返事。

行列は自分にとっては苦行で仕方がない。行列を作るということは、自分が何らかの欲望を持っていることを世間に晒してしまうことを意味する。さらに、行列というものは、強欲のオーラがその一帯に漂っているように感じられ、距離を置きたくなる。イライラする空気感もあるわけで、決してこの場に足を踏み入れない方がよいものなのだ。だが、「みんながやってるから、私だけトクしないのは許せない」の精神で、積極的に行列に参入する。

確かに、その先に何かトクするものがあるかもしれないが、1時間並んででも欲しいものなど滅多にない。初詣の場合、元日の明治神宮は参拝まで3時間待ちなどザラだが、その方が縁起が良いと考えて並ぶのだろう。だが、厳密に言えば、「その年初めて神社仏閣へ行くことが初詣」なのだから、1月7日頃になってガラガラになってから行ってもいいのではないか。「ご利益が変わるんです！」とでも反論が来そうだが、寒い中３時間も待つのはただの苦行である。

これは、年末の風物詩たる東京・有楽町にある西銀座チャンスセンターの、年末ジャンボ宝くじの発売初日の様子ともかぶる。２０２１年12月4日は大安と「一粒万倍日」が重なった日ということで、最も縁起が良いとされる1番窓口は3～5時間待ちに。「一粒万倍日」とは、一粒の籾（もみ）が何倍にもなって戻ってくる、という縁起の良い日なのだという。宝くじ売り場に並ぶ人からすれば、宝くじ購入費用と並んだ時間など、「何倍にもなって戻ってくるから、むしろお得」という理屈だろう。ただ、宝くじの当選番号は大晦日に決まるわけだから、このような条件を重ねても12月4日に1番窓口に並ぶ合理性は一切感じられない。

だが、日本人の凄まじいところは、外れてもポジティブであり続ける点である。「これってバカじゃねぇ？」と指摘すると「思い出になった」「12月31日まで夢をもらった」「買わなかったら10億円のチャンスを得られるレースに参加する権利さえ持てなかった。その権利を持ったうえで、少しでも確率が高まるようにしたかった」と、ありとあらゆるバージョンで行列することを正当化するのである。

無料配布のダイヤモンドに殺到した暇人とケチたち

ネットでは行列を揶揄し「乞食」と呼ぶ例が多数存在する。2006年11月11日、PS3(「プレイステーション3」)の発売初日、有楽町のビックカメラ前には早朝から大行列が発生し、押し合いへし合いの大混雑。この状況にキレたエスパー伊東似の男性が「モノ売るってレベルじゃねーぞ!」と叫ぶ様子が日本テレビのニュースで紹介され、この男性はネットで「レベル男」と呼ばれるようになった。

2009年6月1日、銀座の外資系ダイヤモンド店が0・1カラットのダイヤモンド(5000円相当)を5000人に無料であげる、と告知したところ、大行列が発生。列が動かないため「誠意がねーんだよ、誠意が!」などとブーイングが発生。本来、店としてはこの無料ダイヤを渡す際に丁寧な商品説明をし、加工に繋げたかったのだが、ただただ無料でダイヤが欲しい暇人とケチが殺到しただけの混乱で終わった。無料で何かをあげるよ~! と宣言するとDQN(育ちの悪いバカ)が殺到することぐらい分からないのか……。とはいっても、日本法人の代表は、海外ではこのやり方が成功したと述べ「もう日本ではやらない」と語ったのである。

２０２０年３月、新型コロナ騒動初期にマスクが品薄になった時も同じだった。朝早くからドラッグストアの前には大行列ができ、なんとか自分の命を救おうと必死になった。他人が死んでも構わないが、自分と家族だけはマスク様を手に入れることにより、生き延びようと考えたのである。まるで芥川龍之介の『蜘蛛の糸』である。

２０２３年３月、野球の世界大会・ＷＢＣで日本が優勝した直後、新聞の号外が配られた。ここにも人々が殺到し、奪い合いを行った。今の時代に号外かよ、と思ったものの、無料でもらえるのならばもらっておこうと考えるさもしい人々が押し合いへし合いなんのその、で新聞を入手したのである。昨今、この手の行列は転売とセットになっているため、ますます強欲度合が高まり、揶揄の対象になっている。このように揶揄をする人が存在するということは、多少なりともまともな思考の人々もいるのだ。少し安心した。

ダサさが踏襲される
ザ・ジャパニーズ選挙

日本の騒音問題についてはすでに言及したが、苦痛なのが選挙期間である。とにかく街を選挙カーが行き交い、人が集まる場所では演説をしている。しかも話す内容は名前の連呼と建前だらけで中身がない。

まぁ、こんな感じだ。

「今の政治は強者をより強くし、弱者をより弱くする政治です！　このままでは日本の将来は暗澹（あんたん）たるものになってしまいます。しかし、今ならまだ間に合います。私、田中はるお（仮）は、これまで福祉業界で長く一線で働いていた経験から、本当に困っている人の気持ちに寄り添うことができます！　ぜひ、投票用紙には田中はるおと書いてください！　皆様の力が必要です！」

国政選挙はさておき、市議レベルの選挙であれば、地元居住が長い人であれば案外通ってしまうもの。地元のために働きたいという気持ちは当然あるだろうが、高齢者の出馬と本職のある人の出馬が多いことから、案外「暇つぶし」と「お小遣い稼ぎ」をしたいというニーズがあるのでは。報酬は自治体にもよるが、地方では３００万～５００万円の議員報酬に加え経費が使えるという特典が与えられるのはデカい。

当落線上の候補はほんの数票で負けることもあるわけで、日々のあいさつ回り等は欠かせない。だが結局、政策がいかに素晴らしいかというよりも「あの人を知っている」「あの人はいい人そうだ」というのが、選挙結果を左右するのである。

40歳を過ぎた頃から、知り合いが次々と選挙に出馬した。昔、東京でブイブイと言わせる名編集者だったA氏が２０１９年、某県の県議選に出馬した。その時は、事前に東京で会ってネットでの拡散等をお願いされた。そして選挙期間中は地元へ行き、冷やかし程度に彼の演説を聞いた。この様がまさに「ザ・ジャパニーズ選挙」といった感じだったのだ。

「ダサい選挙スタイルが一番効く」と某県議談。

選挙カーはワンボックスカーで、天井に彼の顔と名前が書かれてある。当然ひらがな交じりである。仮に私の「中川淳一郎」だとした場合「中川じゅんいちろう」とでもなるか。漢字が読めない人への配慮なのだ。

選挙カーから流れるウグイス嬢の声は「ウグイス嬢

声」とでもいうか、「結婚式の司会者声」とでも言えそうなもの（分かりますよね）。

演説場所で降りてきた彼はスーツにタスキ、白い手袋をしている。演説終了後は聴衆に両手で相手の手を握り挨拶。まさに見事なまでのザ・ジャパニーズ選挙しぐさなのである。同氏は見事当選するのだが、その後に飲んだ時に、率直な感想を伝えた。

「Aさん、Aさんほど東京であれだけ編集の世界で活躍し、散々メディアから取材をされたほどの実績を持つ人がなぜ、県議選ではあんなダサい、ザ・ジャパニーズ選挙をやったんですか？　正直、タスキかけて白手袋している時点で笑っちゃいました（笑）」

するとA氏は、日本の選挙の現状をこう語った。

「いやぁ、中川さんがおっしゃることもよく分かるんですよ。僕だって、もう少しファッショナブルな選挙をしたかったし、ネットを活用する選挙をしたかったんです。でも、先輩の助言を色々聞くと、結局、このダサい選挙スタイルが一番効くんだと言うんです。そしてそれは本当に事実でした」

どうやら、「名前を聞いたことがある」「ポスターを見たことがある」「さらに、握手をしてくれた」といったことが、強固な組織票を持っている候補者以外には重要なのだという。それに加えて「わざわざこんな田舎の集落まで来てくれた」というのも大事なのだそうだ。

通常、選挙演説はより人が多く集まる駅前やショッピングセンター前で行うが、ド田舎に足を運び、歩く人と握手をしたり、様々な場に顔を出すことにより「あの候補者は誠実だ」という評価を得られて票に繋がるのだという。

日本の場合、総理大臣の評価についても「人柄が良さそう」が評価ポイントになりがちである。岸田文雄氏みたいに無難な男はまさにそうだろう。となれば、爽やかなイケメンや美女が選挙で当選するのも当然だといえるのだ。政治家は能力よりも誠実さが重要視される実に奇妙な職業である。

働くモチベーションは「怒られたくないから」

私は2014年に上梓した『夢、死ね！ 若者を殺す「自己実現」という嘘』（星海社新書）という本で以下の論を提唱した。

人間が仕事をするのは怒られたくないから

身も蓋もない結論だが、結局はコレなのだ。「お客様の笑顔を見たいです」「社会に貢献したいです」「仕事を通じて成長したいです」「人々を幸せにするイノベーションを起こしたいです」なんてものが仕事をするモチベーションになるというのが定説だし、キラキラとした社会人インタビューでもこうしたことが語られる。だが、私は4年間のサラリーマン生活で完全に「人は怒られたくないから仕事をする」ということを痛切に体感したのである。

そのエピソードはＡｍａｚｏｎ．ｃｏｍと仕事をしていた頃の話だ。アメリカから日本に上陸する企業が日本で記者会見をすることになったのだが、これを私は広報の下請けとして担当した。会見日が近づくと本当にすべてがてんてこ舞いとなる。私は日中は日系クライアントの仕事をし、夜になると同社の仕事をした。理由は、アメリカの本社の出社時刻が日本時間の午前2時だからだ。そのため、日本オフィスの担当者（女性）とは22時頃から頻繁に書類のやり取りをすることになる。日本語と英語両方でこの書類を作るのだが、これがかなりの手間だ。そう簡単に作れるものではない。

ある日の深夜、同社の担当者に必要書類を送り、別のクライアントの仕事をしていたところ、その担当者から電話が来た。

「すいません、幹部全員が日本滞在中にどのような動きをするかの行程表をすぐに作ってもらえますか？」

「えっ？　今からですか？　いや、私、今日出すものは全部出したので今、別の会社の仕事をやってるので無理です」

「出してください！　出さないとジェニーが怒るんです！」

ジェニー（仮名）とは、彼女の本国のボスである。この時に「人が働くモチベーションは怒られないため」ということを存分に理解した。当然、私はクライアントである彼女がジェニーから怒られないように、そして自分が彼女から怒られないため、この行程表はなんとかして作ったのである。怒らないであろう別クライアントの営業担当者に「緊急のヤバい仕事がきました」と連絡のメールを一本入れて。

JR大事故の背景に「怒られたくない」自己保身

この「人は怒られたくないから仕事をする」がよく表れたのが、2005年4月25日に発生し、107人が犠牲となったJR福知山線脱線事故だ。この時は「日勤教育」の存在がクローズアップされた。これは、ミスを犯した従業員を皆でド詰めする儀式のことである。ミスとは、停止線を越えることや、ダイヤ通りに運行しないことなどが含まれる。元JR社員から日勤教育の激しさは聞いており、彼はそれがイヤで会社を辞めたと言っていた。2023年4月24日、神戸新聞NEXTにこの事故の振り返り記事が登場した。タイトルは『「次ミスしたら辞めさせられる」運転士の焦り、歯車が狂い始めた事故25分前 尼崎JR脱線、報告書で振り返る』となっている。この記事には「怒られたくないから猛スピードで運転した」ことがよく分かる記述が見られる。

〈午前8時9分50秒ごろ、男性運転士は京橋駅から当時44歳の男性車掌を乗せ、7両

編成の尼崎駅行き普通電車を出発させる。既に定刻より50秒ほど遅れていた〉

ここから、入社5年目の運転士に関する描写が始まる。新幹線の運転士になるのが夢だったのだという。そして、運転技量審査は平均点よりやや上で、勤務評価では平均を大きく上回っていたのだという。そしてこう続く。

〈ただ、運転士になって直後の6～7月、片町線放出（はなてん）駅で停止位置を約4メートル通り過ぎ、同線下狛（しもこま）駅で約100メートル行き過ぎるなど、3度のオーバーランをした。これは「日勤教育」と呼ばれる懲罰的な研修の対象となった。脱線事故は、その後1年足らずで起きる〉

ここから先、運転士が「怒られたくない」ことで頭が一杯になる様が描かれる。ATSとは自動列車停止装置のことで、自動で減速させたり停止させる機能のことだ。

〈レールの分岐に近づき、速度超過を知らせるATSの警報音が運転席に鳴る。ブレーキをかけても減速しきれず、25キロオーバーの65キロで通過すると、大きく車体が

揺れた。続いてATSを解除しなかったことで非常ブレーキがかかり、電車は駅手前で急停車した。

本来は輸送指令に報告しなければならない事案だった。しかし、彼は連絡せずに解除して走り出すと、今度はATSの誤出発防止機能による非常ブレーキが作動してしまう。結局、定刻より44秒遅れて8時56分14秒、停止位置に止まった〉

この運転士は、日勤教育の苛烈さを知っており、過去のオーバーランの際は13日間乗務を外され、延々とレポートを作成させられ、罵声を浴びせられ続けたのだという。そしてここからが日本の「怒られたくない」が表れた記述だ。

〈オーバーランや到着遅れなどのミスをした運転士らに課される日勤教育について、JR西のある幹部（当時）は「集中力不足などのミスを自己分析させ再発防止につなげるため」としつつ「(会社と対立する）特定の労組対策だった」と打ち明ける。一部の運転士は技術向上に効果のないペナルティーと受け取っていた。

彼は研修を受けた後、親しい知人らにこんな不満をこぼしていた。「トイレへ行くにも断らねばならない」「社訓を丸写しするだけで、意味が分からない」「給料がカッ

トされ、本当に嫌」。知人の女性にはこうも漏らしていた。

「今度ミスをしたら、運転士を辞めさせられる」〉

この運転士は、72mのオーバーランをした際、車掌に「過少申告してほしい」とお願いしていたようだ。72mというのは長すぎるため、それを短くしてくれ、と隠蔽工作を図ったのだ（8mに過少申告された）。とにかく仕事をするモチベーションが「怒られずにカネをもらいたい」ということにあるものだから、このような事故も起きてしまう。問題について組織は誰かのせいにし、本人はなんとか怒られたくないため隠蔽工作をするほか、無茶をしてしまい結局「怒られる」どころではない大問題を発生させてしまう。まさに自己保身だらけなのが、この国の仕事人の姿である。

ちなみに日本を代表する某企業の一つは、一時期「トイレに行く時間」を決めていた。朝になるとトイレに行く時刻が書かれた紙が机に置いてあり、あまりのアホらしさにある女性は1年を待たずにせっかく新卒で入ったこの会社を辞めた。だが、怒られたくない同期連中はこの紙を律義に守った。突然、大規模便意が襲ってきてもその時刻でなければトイレに行けず、デスクで下痢を大放出してもそちらの方が優先され、高く評価されたのか？　そこまでは聞いていていない。

就活で無難な兵隊型学生が採用されるダサさの始まり

就職活動では「あなたらしさを最大限見せてください」と言われるが、結果的に「あなたらしさ」は型にはまったものとなる。なぜならば、本当の「あなたらしさ」を面接で言ってしまうと悪目立ちするからだ。本当は「あなたの優等生っぽい面を創作でもいいので見せてください」である。いや、面接官や企業は本当にその人の地の部分を見たいのだが、面接を受ける側が自主規制し、「目立たない」ようにしてしまうのである。

基本的に学生は以下のスタンスで面接に臨む。

・自分の人生がいかにその会社（業界）に影響を受けたか
・その会社は社会の役に立っているから自分もその一員になりたい
・自分がこれまで生きてきた人生で得たものの延長線上にその会社があると、「一貫性」をアピール

誰が言い出したかは分からないが、就活生は「核」を持つように指導される。いわゆる「自己分析」を行い、自らの21、22年の人生を振り返り、自分のこれまでの行動や思想を一言で表す言葉を見つけるのである。これが「核」とされるものだ。だが、こんなものは意味がない。「核」なんてものは存在しないのである。人間なんて行き当たりばったりで生きている。この「核」を見つけ、それを面接で語る行為は、ただ単に企業が好みそうな人物像を演じているだけだ。

この「核」となる部分については、「協調性」「多様性」などになるが、一時期流行っていたのが、自分を何かにたとえることである。それは何でもいい。自動車メーカーの面接では「4WD車」とでも言っておけばいい。「難局を全力で切り抜ける能力がある」をこの一言で表すのである。「ハイブリッド車」とでも言っておけば、「状況に応じて対処する柔軟性がある」となる。

そして、リクルートスーツである。結局、他から浮かないために男女とも、あのダサ過ぎるデザインのスーツを着るのだ。会社説明会では、「これからの大変な時代、我が社がますます発展するためには、突破できる若い力が必要です。そんな個性的な人と面接ではお会いしたいです」などと社員が力説するが、結局は無難で素直な兵隊的学生が採用されるのである。

志望動機で模範解答を語るバカ！

就職活動の場合、決まりきった志望動機がある。私は博報堂という広告業界No．2の会社員時代、リクルーターを担当し、多数の学生と会ってきたが、どうも「広告業界社員に求められる能力はコレである。コレを言えば通る」といった伝説が学生の間で共有されていたようにしか思えないのだ。その自己PR文は概ね（おおむ）このようになる。広告業界1位は電通だ。

「私が広告業界を志望した理由は、広告主の商品の良さを引き出し、生活者にその良さを伝えるという仕事を魅力に感じるからです。両方の気持ちを理解し、調整して最適な表現をするのが広告の仕事だと思います。私はサークルの副部長として、上級生と下級生の間を取り持つことが多く、私が調整することにより、より満足度の高い活動を皆ができたと思います。これからは社会でそのようなことをしたいと考え、広告業界を志望しました。そして、電通ではなく博報堂を志望する理由は、社員の皆さんの個性がより博報堂の方が際立っているように感じられ、『個』の強さにより、組織が強いと感じるからです。電通は組織に個が合わせられているような感覚を抱きました」

本当にこのようなことを言う者だらけだったのである！　多分、面接を通過した先輩の自己ＰＲと志望動機がネット上で共有され、業界ごとの模範解答集が存在したのではなかろうか。だから横並びの回答だらけになるのである。

そして、イノベーションを起こせぬ指示待ち社会人が量産されていき、ダサい日本を形作っていくのだ。

量産型女子大生・量産型男子の登場とその利点

この「目立たない」の表れが、若者、特に女子高生や女子大生の恰好や髪型である。1980年代前半、松田聖子が大ブレイクした後は「聖子ちゃんカット」の若い女性だらけになった。その頃、スケバンブームが来ると制服のスカートをやたらと長くした。

その反動か、1990年代になると、スカートは膝上のミニスカートとなり、こぞってルーズソックスを履くようになる。「ギャル」と呼ばれた人々は顔を日焼けサロンで真っ黒にし、髪の毛を白くしたり露出度の激しい服を着て厚底サンダルを履いて渋谷の街を集団で闊歩した。その前のバブル期の女子大生はやたらとソバージュヘアが多く、浅野温子や浅野ゆう子が流行るとストレートのロングヘアになった。

2010年代になると「量産型女子大生」という言葉が登場するようになる。恰好もヘアスタイルもメイクも同じようになり、一体誰が誰だかオッサンからすると分からない女子大生のことである。

「量産型女子大生」というツイッターIDは彼女達の写真を紹介するが、以下のような写真が掲載されている。そこに写っている女性全員が似たような恰好をしているのだ。「茶髪」「膝上のスカート」「厚底靴ないしはヒールを履く」「ボーダー柄か花柄のワンピースを着て全員が写真を撮る時はピースサインをする」「Ｇジャンと、白や水色など薄い色で薄手のスカートを穿く」「灰色のパーカーと靴が同じで、後ろにだらーんとぶら下がるリュックを背負う」「Ｇジャンと水玉ブラウス」など。多くはツイッター等に投稿された写真で「かぶったぁぁーー」などと投稿者が自虐的に書いているものがこのＩＤの投稿に採用されている。

これは男子学生にも見られ、「量産型男子」については、ネットで悪意のあるイラストが登場する。このイラストを見ると「確かによく見るわ」というものが多い。イラストとともにファッションの各部位の解説がされている。これは、そのイラストに書かれた文章である。文中（　）内は私の補足だ。

「ダサすぎる丸メガネ」
「クソ邪魔なニット帽」
「よく見るとお前らと変わらない顔面」
「顔に似合わないチェスターコート」

「デカいリュック」
「実はクソ寒い（薄手のチェスターコートに関連し）」
「ガリ（体型のこと）」
「ピッチピチのズボン」
「なぜか9部丈（原文ママ）」
「変なラインのくつした」
「おきまりニューバランス」

量産型礼賛で日本は超停滞国家になる！

この悪意あるイラストに対し、『大学生のゴミラジオ』というブログは「量産型のすゝめ」というエントリーを2016年3月31日に投稿し、「量産型」を肯定している。引用する。まず、このイラストを「揶揄」の意図があると述べたうえで、量産型大学生本人が問題ではなく、このイラストを共有し（バカにして）喜ぶ人々が問題だと指摘。そしてこう意見する。

〈なぜ量産型が生まれるのかと言えば、それが万人に受け入れられやすいから。つまりこのファッションは多くの人が「かっこいい」と感じるから流行っているんです。流行っているなら、それは多くの人にとってフィットしやすいということ。つまりかっこよくみえやすいんです。ファッションにおいてなにかしっかりとしたポリシーを持っている人なら、おそらくこういうファッションを指差してバカにするようなマネはしないはずです。なぜなら、流行っているファッションが世に受け入れられているものとして認めて、それでもなお自身のポリシーを貫いているからです〉

実に理路整然と、量産型ファッションのメリットと素晴らしさを論じている。そのうえで、量産型ファッションをバカにする者に対して、以下のように苦言を呈する。

〈結局、量産型をバカにする人間の多くは、他人が良しとしているものを批判することによって自分が優位に立っているかのような錯覚を覚え、その場しのぎの浅はかかな優越感に浸る悲しき人種なのではないでしょうか〉

ここまで「量産型ファッションは素晴らしい。多くの人がナイスファッションと認めたものを認めないヤツは悲しいヤツだ」とまで言い切るのであれば、まったく話は嚙み合わない。こちらは「量産型ファッションをして波風立たないようにするのはダサい」と感じているし、それこそが日本人がつまらない理由とまで考えている。まったく価値観が合わない。恐らくこのブログの著者はリクルートスーツをキチンと着て就活に臨み、コロナ騒動の時はマスクを常時して、律義にワクチンを打ち続けていたのだろう。

しかし、私のように「他と同じことをするヤツはバカ」的スタンスの人間に対し、なぜか突然この著者は寛容さを見せる。

〈知らないのならば、長いものに巻かれてください。知らないのならば、それを知ってから自分の立場を決め、他人に口出ししないでください。ひねくれた人たち、たまには量産型に落ち着くのも悪くないよ〉

余計なお世話だよ（笑）。目立ちたくないからイノベーションだって起きないし、組織のバカ論理を打ち破るのに人々が躊躇し、結局停滞国家になるんだろうよ。しかも、恐ろしいことに「量産型日本人男子」は私が2023年2月から5月まで滞在したタイでも多数いたのだ！　ベッキーとの不倫で名高いバンド「ゲスの極み乙女。」の川谷絵音（えのん）のような、中性的な風貌で、色白が多い。そして眉毛を隠すマッシュルーム風カットで、どいつもこいつもいわゆる「象パンツ」（薄手のタイ風デザインが施されたダボダボのパンツ）を穿き、肩から斜めがけの鞄を下げている。一昔前だったらクロックスのサンダルを履いている。

若者でさえこうなのだから、もっと上の世代だって「他人と同じがいい」になるのは必然だろう。

これがよく表れるのが選挙である。時々国政選挙の比例区で、ＮＨＫ党のガーシーこと東谷義和被告が選挙活動をほぼすることなく当選するなどの珍事は発生するが、基本的に選挙で当選するのは前項で述べたように横並び的な活動をした議員である。あとはその横並びの中で「どれだけ頑張るか」が勝負の分かれ目となる。

野球に見る「出る杭を打つ日本人」

日本人が出る杭を打つ最大級の例は、野球に見られる。まずはMLBについてだが、野茂英雄が1994年オフシーズン、MLB挑戦を表明。所属球団の近鉄バファローズとモメたこともあり、野茂には「わがまま」のイメージがついた。日本の場合、MLBでは当たり前のFA制度さえ1993年までは存在していなかった。「せっかくドラフトしてくれたチームに対して、他の球団を希望するとは失礼だ」的な価値観があったのだろう。

そして、制度導入の初年度は錚々（そうそう）たる選手が権利を行使した。松永浩美（阪神タイガース→福岡ダイエーホークス　※以下、球団名は当時）、駒田徳広（読売ジャイアンツ→横浜ベイスターズ）、落合博満（中日ドラゴンズ→読売ジャイアンツ）、石嶺和彦（オリックス・ブルーウェーブ→阪神タイガース）の4人である。いずれもピークを過ぎたものの、ベテランで実績は十分だ。そんな中、5年のキャリアしかない野茂がMLBへ行くというのだ。この時、メディアや野球ファンの間では「生意気だ」「失礼なヤツだ」「どうせどこのチームも取ってくれない」といった声が多数出た。実際、ロサンゼルス・ドジャースへの所属が決定すると、今度出てくる声は「日本人がＭＬＢで通用するわけがない」という批判である。

だが、結果的に野茂は開幕以来バッサバッサと三振を取り続け、「ＮＯＭＯフィーバー」をアメリカで巻き起こし、「ＮＯＭＯ　ＭＡＮＩＡ」まで登場した。一旦打者の方に背を向ける野茂の独特な「トルネード投法」もインパクト大で、『ＨＩＤＥ〜Ｏ』（ディアマンテス）という野茂を応援する歌も登場した。日本語版だと「ヒデーオ、ヒデーオ、野茂が投げれば大丈夫！」というような歌詞である。野茂はオールスター戦にも選出され、見事にナショナルリーグの先発投手になった。そして、シーズン終了後、13勝６敗、防御率２・54の見事な成績をあげた。さらには２３６奪三振はリーグトップ。ナショナルリーグの新人王となった。

かくして「日本人投手はアメリカでも通じる」ということを野茂は見事に証明したが、「出る杭を打つ」は終わらなかった。今度は２０００年オフシーズンだ。日本で７年連続首位打者に加え３回のＭＶＰを取り、圧倒的な力を誇るイチローがシアトル・マリナーズと契約をした。この時は長谷川滋利がＭＬＢで活躍したこともあり、「日本人の投手は通用するが、打者が通用するわけがない」という論調でイチローのメジャー挑戦を批判する声があった。

曰く、メジャーでは本塁打を打つ選手が評価される、メジャー投手の力のある球に細身のイチローでは力負けして打てない、などである。しかし、その俊足と天性のヒットを打つ能力により、イチローはルーキーイヤーに２４２安打で打率・３５０、56盗塁で最多安打と盗塁王に輝き、新人王も獲得した。

となると、次は２００２年オフにニューヨーク・ヤンキースと契約した松井秀喜である。イチローの活躍はあったものの、「長距離砲は通用しない」という否定的意見はイチローの時と同様に噴出した。ただし、松井に対してはイチローの活躍もあって、「日本人野手は通用しない」という決めつける手の揶揄は少なかった。結果的に名門・ヤンキースで打率・２８７、16本塁打、１０６打点という見事な成績を叩き出した。新人王は取れなかったものの、実際に新人王を取った選手よりは明らかに上の成績だった。まぁ、日本で10年のキャリアがあっただけにそれも仕方ないだろう。その後、ＭＬＢで松井の最高本塁打数は31本だった。日本における「長距離砲」から「打点をキチンと稼ぐ中距離砲」になった形だが、ＭＬＢでも一流プレイヤーであったといえよう。

「力がないのに出て行った貴様が悪い」

せっかくイチローと松井が日本人野手の評価を高めてくれたものの、その後、パッとしない成績で日本に戻る選手が続出した。岩村明憲と城島健司と松井稼頭央（かずお）はある程度通用したといえる。だが、日本トップクラスだった西岡剛、中島宏之、秋山翔吾と筒香嘉智（つつごうよしとも）は論外である。

その意味で、破天荒過ぎて「宇宙人」と呼ばれた新庄剛志は、案外、日本人野手ではナイスな成績を収めている。日本での実績は上記ＭＬＢ失敗選手4人と比較できないほど低いが、常識はずれの行動でＭＬＢ入りを果たしたこの男はやっぱりすごい。新庄を含めたこの5人の日本時代の最高成績の年とＭＬＢで最高の年を比較してみる。数字は打率↓本塁打↓打点である。

◆西岡：（ＮＰＢ・２０１０）・３４６　11　59
（ＭＬＢ・２０１１）・２２６　０　19

◆中島：（２００８）・３３１　21　81
（ＭＬＢマイナー２年間）※メジャー出場なし

◆秋山：(2015)・359　14　55
(2020)・245　0　9

◆筒香：(2016)・322　44　110
(2021)・217　8　32

◆新庄：(2000)・278　28　85
(2001)・268　10　56
(2004日本復帰後)・298　24　79

新庄は日本での実績は4人に及ばないが、MLBでの成績は4人に勝っている。さらに、日本に戻った時も、MLBへ行く前年の成績に近い数字を叩き出している。

そして、大谷翔平である。高校卒業時から「二刀流」を志向していた。並みいる野球評論家は「無謀だ」「どっちつかずになる」「故障する」などと反対したが、当時の日本ハムの栗山英樹監督は、大谷の二刀流でのプレーを認め、その方針に合わせた育成を見事に達成した。そして、大谷が二刀流で活躍をしてもなお、評論家や大物プロ野球OBは同じことを言っていた。しかし、本塁打が打て、三振も取れる選手なだけに「どちらかにすれば凄まじい成績をあげられるはずだ」と若干好意的にはなってきた。

そんな矢先のメジャー挑戦である。１年目は新人王を取る活躍を見せたが、２年目は故障もあり投手としての出場はナシ。３年目はコロナで試合数が激減したのもあったが大谷は故障明けということもあり、打率・１９０、７本塁打、24打点、７盗塁という結果に終わった。しかし、２０２１年はまさに「覚醒」とも言えるほどの活躍を見せた。本塁打王争いではリーグ３位の46本、三塁打はリーグ最多の８本、打率は・２５７で打点は１００、26盗塁。投げては９勝２敗１５６奪三振、防御率３・18で満場一致のＭＶＰとなった。

さすがにこのシーズン、４、５月と本塁打を量産し、さらにローテーションの中心でもあったことから大谷に対しては、「二刀流否定派」の最右翼だった張本勲氏でさえ、その実力を認めた。いや、張本氏を含め、評論家やＯＢが言っていたことはセオリー通りであれば正しかったのだ。長きにわたる野球の歴史で、二刀流として活躍したのはベーブ・ルースだけだし、ルースにしても二刀流だった期間は５年間である。

大谷は例外過ぎる存在だった。２０２１年以降、大谷の二刀流に否定的な意見はほぼ見られなくなった。新しいことをやる、つまり「出る杭になる」人に対して「お前には無理だ」「そんなのは非常識だ」と言うのは簡単である。そして、こうしたファーストペンギンに対して、日本社会は徹底的に厳しい姿勢で向かうのである。

２０２３年、トレンドは「実力不足なのにＭＬＢへ挑戦し、結果が出なかった選手をボコボコに叩く」である（笑）。阪神で結果が出なかった藤波晋太郎がアスレチックス初登板から4連敗し、中継ぎ転向、となった時は「藤波はやっぱり藤波」的な批判がネットに多数書き込まれたのである。その後、それなりに起用され、強豪・オリオールズに移籍をして起用されてホメられたものの、アスレチックスでの日々の初期は批判されまくったことを忘れてはなるまい。

そして、マイナー落ちしてもアメリカ残留を続ける筒香に対しては「諦めが悪い」と評され、さらには日本に戻ったとしても年齢的に無理、といった評価をされる。結局、「力がないのに出て行った貴様が悪い」的論調になるのだ。

本来、プロ野球にドラフトで入る選手など、その年の野球人口における全体の0・001％ほどだろう。ドラフトにかかるだけでとんでもない野球エリートで、すでに「出る杭」なのに、外野が勝手に見下して「出過ぎる杭」を叩くのである。

高校野球で強要される「高校生らしさ」のダサさ

高校野球もそうだ。「高校球児らしくない」という意味不明の理由で、叩かれてしまう。まずは髪型である。今でこそ五分刈りが許されているが、かつては完全なる坊主頭しか許されない雰囲気があった。そんなことがあるから、２０２３年の夏の甲子園大会では「準々決勝進出の8校中3校が丸刈りではない」という記事が話題になり、優勝した慶應の選手の髪型が自由だったことから大きな話題となった。いや、それまで画一的な坊主頭にしてきたことが問題なのである。

高校野球マンガを見ると、それはそれは個性的な髪型ばかりである。『ドカベン』（水島新司・著／秋田書店）にしても、里中、殿馬、影丸、不知火など主要キャラはロン毛だし、岩鬼、山田、微笑は短髪。蛸田に至ってはスキンヘッドである。漫画であれば、当然キャラを描き分けなくてはいけないため、様々なヘアスタイルは必要だが、実際の高校野球ではご法度だ。

高校野球は教育の側面もあるから――。こんな反論をされるが、なぜ坊主頭にすることが教育になるのかがまったく意味が分からない。だったら、その高校に通う野球部以外の生徒も坊主にならなくてはいけないではないか。もっというと、野球部のない高校の男子生徒だって坊主にしなくてはいけない。

ここで色々と見えてくるのだが、日本で批判されるのは「らしくない」という人物である。とある属性の者に対しては、外見や行動に「らしさ」を求められ、そこから逸脱するものは「らしくない」と批判の対象になるのである。本来、人間なんてどんな髪型をしていてもいいわけだから、剃り込みを入れていたり、リーゼントの選手がいてもいい。金髪軍団やスキンヘッド軍団でもいい。

2023年3月18日の春の甲子園大会で、宮城県代表の東北高校の選手が相手のエラーで出塁。その際、塁上でWBCの日本代表優勝に貢献したラーズ・ヌートバーの「ペッパーミルパフォーマンス」をした。これが審判から激怒されたのである。同校の監督は審判の判断に異議を呈したが、審判は「相手のエラーで出塁したのに、エラーをした選手をおちょくる行為は許せない」や「流行ってるからと一人に許すとこの大会、このパフォーマンスをする者だらけになる」といったことから注意を与えたのだろう。

だったら、ホームランを打った時のガッツポーズも禁止にすべきである。相手投手は真剣勝負をしていたのに打たれ、意気消沈している。優勝が決まった時にマウンド近くに集まり、皆で固まって「Ｎｏ．１」を示すために人差し指を上げる行為もいかん。傷に塩塗る行為は高校球児らしくない。高校野球たるもの、感情を押し殺し、互いにリスペクトの精神で臨むべきで、喜びを爆発させたり、何らかのパフォーマンスをすべきではないのだ。

――こういった考えが高野連のおエラいさんにはあるのだろう。しかし、基準は一貫しておらず、ガッツポーズとＮｏ．１の指という感情の表れは許されている。なんじゃこりゃ。

１９９２年、夏の甲子園大会で、優勝候補で松井秀喜を擁する星稜高校とぶつかった明徳義塾は、松井を５打席連続敬遠した。明徳は見事強豪・星稜に勝利。これは、国を挙げての大騒動となった。基本的には明徳の馬淵史郎監督の采配への批判だ。「勝ちにこだわり過ぎる」「卑怯だ」「正々堂々と勝負しろ」といったものだ。それに加えて「高校野球は教育の側面もある」もあった。だが、もっとも大きい、かつこれらの批判を包含するものは「高校生らしくない」「スポーツマンシップから外れている」というところにある。ここでも「出る杭」は徹底的に潰されるのだ。いや、勝つための馬淵監督の采配は正しいだろ。

では、「高校生らしい」とは一体どのような言動なのだろうか。「挨拶をする」「健闘を称（たた）え合う」「嬉しくても過度に喜ばない」「審判に対して最大の敬意を示す」といったあたりは重要ではあるものの、「守備が終わったら走ってベンチに戻る」は休息したい選手にとってはマイナスである。歩いて戻ればいい。「ヘッドスライディングをする」は、真剣にプレイしているように見える姿ではあるが、ユニフォームは汚れるし、ケガをする恐れがある。やめた方がいい。

日本を覆う同調圧力の蔓延や、出る杭を打つ風潮の要因の一つは、「らしくない」ことを糾弾することにある。こんなダサい国があるだろうか。これではイノベーションは生まれないし、アイディアを出すのも躊躇してしまうではないか。誰かがツイッターで書いていたが、小中高校は無個性になるよう教育され、大学生になると個性がある者がイケてる風になり、就職活動でその個性を最大限発揮するよう求められるという。しかし、会社に入ってしまえば再び無個性になることを求められるとのこと。その通りである。

伝統を破ればスポーツ観戦はさらに面白くなる

この「らしくない」を批判する風潮は相撲も同じである。モンゴル出身の朝青龍や白鵬は「横綱らしくない」やら「横綱としての品位に欠ける」と言われ続けた。八百長の有無はさておき、相撲は神事の側面はあるが、れっきとした格闘技である。そこに「品位」など必要であろうか。「それが伝統だ」の一言で終わらせると、もう発展性はない。

相撲というのは謎のスポーツで、大相撲の場合は何度も仕切り直しをし、塩をまく。一体お前らはいつ勝負をするのだ！　とイライラしたところで「時間です」となり、大男がドッカーンとようやくぶつかるのである。しかも、ぶつかろうかというところではたき込みをしてしまえば、取り組みは2秒で終わってしまう。そんな勝負が続いたとしても、きっちりと18時に終了するのは謎である。ただ単にＮＨＫの放送に合わせているだけなのではないか、と勘繰ってしまうのである。日本相撲協会自体が公益財団法人として多額の補助金をもらい、この伝統芸能を守っている。しかし、内情は親方同士の派閥争いや年寄株をめぐる確執・恩讐、先輩力士からのしごき、パワハラ、暴力、八百長など腐りに腐っている。

かつて、椎名誠氏はエッセイ集『場外乱闘はこれからだ』（文春文庫）で各種スポーツ観戦をいかに面白くするかの提案をしたことがある。野球を面白くする方法として「殴ってもよい」を提案した。すると、二塁に進もうとする選手は明らかにアウトのタイミングだが、そこで待ち構える遊撃手を攻撃してしまえば無事進塁できる、というものだった。あと、ボクシングは真面目過ぎてつまらない、と述べ、面白くするには「喋ってもよい」を加えるべきだと主張した。試合前にリング上で対峙する選手がプロレスのようにマイクアピールをするのだ。

「てめぇ、このハエが止まるようなへなちょこパンチしか出せねぇのか、このハエ野郎」と山田晴彦選手が挑発したかと思えば、口下手な田中勝則選手は「うるせぇお前、この野郎！」しか言えないが、観客は大盛り上がり！

とまぁ、こんな破天荒な提案をしていたのだが、これこそが革新に繋がるではないか。常に「伝統ガー！」と言い、頑なにあり様を変えず、さらには新しい提案をする者を叩きのめす日本の風潮は明らかにおかしい。

日本メディアをクソにするジャニーズへの忖度

元々ジャニーズ事務所の創設者・ジャニー喜多川氏が、所属する男性タレント（候補）に性加害をしていたことは周知の事実だった。週刊文春は１９９９年から14週間にわたってこの問題を取り上げてきたが、ほぼすべてのメディアは黙殺。事が動いたのは、２０２３年３月７日、英ＢＢＣがこのスキャンダルを実際の被害者の証言とともに取り上げてからだ。被害に遭ったカウアン・オカモト氏をはじめ、複数の証言者が実名で名乗りを上げるともう抑えることはできない。

日本のメディアも５月以降はジャニー氏が２０１９年に亡くなっていることもあり、渋々と報じたが、日本テレビ系『ｎｅｗｓ　Ｚｅｒｏ』のキャスターである嵐の櫻井翔はこの話題になると口を閉ざす。ジャニーズ事務所の大将格である東山紀之は自身がＭＣを務めていた（９月７日に降板発表）テレビ朝日系『サンデーＬＩＶＥ!!』ではこう述べた。

「我々もどのような未来を迎えるべきなのか、現在在籍しているタレントはどうすべきなのか、告白された皆さんにどう対処するべきなのか、そもそもジャニーズという名前を存続させるべきなのかを含め、外部の方と共に全てを新しくし、透明性をもってこの問題に取り組んでいかなければならないと思っています」

社名を変えてどうこうなる話ではない（10月17日付で「ＳＭＩＬＥ－ＵＰに変更）。しかも藤島ジュリー景子社長（当時）は、1分ほどの映像で主張としては「知らなかった」と答えるのみ。各テレビ局はジャニーズタレントの起用については今後も変わらないと述べた。テレビ東京社長の石川一郎氏はこの問題について「性加害は許されるものではない」というスタンスを明確にしたうえで、「タレントさんの皆さんに問題があるわけではないと考えますので、今後も出演していただく方針です」と語り、「創業者の不祥事＃所属タレントの能力」とは関係がないとのスタンスを明確にした。これは各社同じようなものである。

しかし、9月7日に新社長となる東山紀之氏とジュリー藤島氏、そして井ノ原快彦氏が性加害を認める発言をしたことで、一気に日本のメディアはこの件を大きく問題視し始めた。広告主は軒並みジャニーズタレントの契約打ち切りを示唆。裏で見えるのは、「他もそのようにする空気だからウチも契約を打ち切るか……」というキョロキョロとした態度であり、自主性は一切ない。継続を発表したモスバーガーは不買運動を起こされ、撤回。保険会社のＡｆｒａｃは櫻井翔との個人契約を発表。ジャニーズ事務所は、番組およびＣ

M出演料についてはタレント本人に直接支払うようにする、と宣言した。結局、イギリスのBBC様による「外圧」と、ジャニー氏が死んでいることで、バカファッキン忖度JAP国はようやく問題について言及できるのだ。とことんダサい国だ。さっさとくたばれボケが！　オレはこんなクソみたいな国に子供を残さないでよかったわ、あー、スッキリしたわ！　とこのジャニーズ騒動では心から思った。そしてこの思いは一生変わらない。

「容疑者」とは言ってはならない芸能人の犯罪報道

この件の問題点については「知らぬふりをしていた所属タレントも同罪」といった論もあったほか、ジャニーズに忖度しまくったメディアの姿勢への批判も多数あった。では、実際にジャニーズへの忖度とは一体どのようなものがあったのか。

・ジャニーズタレントが出演するドラマやCMに関してネットに顔写真を掲載できない

・w-inds.やDA PUMPといった男性アイドル的ユニットは共演不可。彼らをメディアは積極的に起用するな、という圧力の存在

・出版各社は各グループのカレンダー販売権を持ち回りで保有するため、悪口は書けない

・少しでも悪口を書けば、その会社はジャニーズ関連の会見には出入り禁止

これらはメディア人であれば当然知っていることである。ジャニーズとのズブズブ関係を白日の下に晒したのは、2001年の稲垣吾郎の逮捕に関する報道だろう。東京・渋谷で路上駐車している車に戻った際、取り締まり中の女性警察官から免許証提示を求められるが車を発進させて警官にぶつけ、道交法違反（違反駐車）と公務執行妨害で現行犯逮捕された件である。逮捕されているのだから、報道にあたっては「稲垣吾郎容疑者（27）」と報じるべきだが、テレビ局は「容疑者」という呼称にすることで重大犯罪を犯した極悪人と捉えられるのを恐れたか、珍妙な「稲垣メンバー」という呼称で報じた。

微罪であったのと、道交法違反のみになったため、約5ヶ月での復帰となったが、この前例を元にテレビの芸能人による犯罪報道がおかしなことになっていく。「容疑者」を頑なに使わないようになったのだ。違法薬物により6回の逮捕歴がある清水健太郎ならば躊躇することなく「清水容疑者」と表現するが、その他は本当におかしい。

布袋ギタリスト（作家・町田康に対して暴行をした布袋寅泰のこと）

小泉タレント（ミニバイクに当て逃げした小泉今日子のこと）

島田司会者（女性マネージャーに暴行した島田紳助のこと）
清水ボーカル（交通違反後の公務執行妨害で逮捕されたバンド・UVERworldのTAKUYA∞〈清水琢也〉のこと）
山口メンバー（女子高生に対する強制わいせつ容疑で書類送検された元TOKIO・山口達也のこと）
草彅メンバー（公園で全裸で「シンゴーシンゴー」と叫んで公然わいせつで逮捕された草彅剛のこと）
押尾俳優（違法薬物使用で逮捕された押尾学のこと）

他にも各メディアは「歌手の小泉今日子さん」といった書き方もあり、普段「身内」の関係がある人間に対しては徹底的に甘い。こうした公になった事実を述べたうえで、メディアの裏側で起きている（た）ことについて述べよう。

有力芸能事務所による恐怖政治の蔓延

メディアの中には「恐ろしい芸能事務所」というものがある。これは、人気芸能人を多数抱える事務所のことで、取引停止・出入り禁止にされてしまうと困るため、とにかく懐柔策を取り、不祥事はスルーし、バーターさえ受ける。バーターとは、「束」の業界用語で、「寿司」を「シースー」と呼ぶように、「タバ」を「バーター」と逆に読んだもの。人気タレントをブッキングさせてあげる代わりに、その事務所の売り出し中のタレントもセットで（束で）出演させたり、仕事を与えることを意味する。こうしたイケイケの事務所は「じゃあ、お宅らウチを出禁（出入り禁止）ね」と一言いえばいいだけなので、メディアの側は常に下手に出ざるを得ない。

テレビの場合は視聴率のカギを握っており、雑誌であれば表紙＋グラビアに誰を起用するかで販売部数が変わってくる。こうした有力事務所による恐怖政治が日本の芸能界にはＹｏｕＴｕｂｅが全盛となる前まではまかり通っていたのだ。その中でも特に強かったのがジャニーズ事務所である。特に出版系の忖度っぷりは激しい。なぜかといえば、ドル箱であるジャニーズの各ユニットのカレンダーの販売権が毎年持ち回りでもらえるからだ。今年はAというグループのカレンダーをX社が担当し、来年はY社が、その次はZ社が……といった形で利権を与え、不祥事報道を抑え込んできたのだ。

テレビ局と出版社だけではなく、スポーツ新聞各社もジャニーズの恩恵を受けていた。何しろ、所属タレントを取り上げれば、ファンが勝手に連携し、新聞を買ってくれるのだから。あとは系列の民放テレビ局が存在するため、悪口は書かないように釘を刺される。ネガティブなネタを書くことができるのは、事務所から出禁を食らっている会社だけである。たとえば主婦と生活社はジャニーズから出禁を食らっていたため、『週刊女性』でジャニーズタレントのスキャンダルや事務所批判は可能だった。

これが顕著に表れたのは、２０１６年のＳＭＡＰ解散をめぐる報道だった。この時、事務所を出ることになる稲垣吾郎・草彅剛・香取慎吾には、穏やかな論調ながらも否定的な記事が出た。「事務所は慰留に頑張ったが３人の意思は変わらなかった……。ファンは今でも５人が事務所に残りＳＭＡＰとして活動することを切望している」――こんな論調で延々報道し続けるのである。たとえば、親・事務所派の日刊スポーツは「激震　ＳＭＡＰ解散　キムタク以外独立」と大々的に見出しを打った。これは、ジャニーズ事務所に阿った記事であり、当時独立すると見られていた中居正広を含めた木村拓哉以外の４人を悪者にしようとしたのである。結果的に中居は事務所に残ることとなったが、こうした親・事務所派メディアの「事務所は悪くない！」というロビー活動が残留をもたらしたのであろう（その後、中居は２０２０年３月末で退所）。

一方、出禁状態の週刊女性はこの３人を擁護し、ジャニーズ事務所と、残ることとなる木村拓哉批判を積極的に行った。同誌２０１６年８月23・30日号では表紙にデカデカと以下のタイトルが出た。

〈独走スクープ　ジャニー社長の説得にも応じない異常事態　いつまで続く!?　SMAP〝イジメ〟「紅白」「東京五輪・パラ」「辞退…描かれたシナリオ」　歌番組にCMと徐々に露出が減っている彼らを待つ未来は……〉

これは、事務所に屈する各種組織が脱退する3人を除け者にしようとイジメている、といったことを示す記事だ。ジャニーズからは出禁な週刊女性なだけに、事務所を出る稲垣・草彅・香取を擁護する「判官びいき」的な記事だ。

このように、両側が自分にとって都合の良い報道をしまくったのがSMAP解散騒動だったのである。当然、私がかかわっていたメディアは「親ジャニーズ」のため、事務所叩きはしづらかった。できたのは「せめて解散とまでいかず、この5人が再び一緒になる日を期待したい」といった論調の記事だ。これは、事務所をそこまで叩かず、脱退する3人にもこれまでの活躍に感謝する、といった内容である。さらには、5人が仲良かった頃のエピソードを出すなどして、両側に配慮した記事を連発させたのである。

私自身、この会社のウェブメディアにフリーランスとしてかかわっていたため、特に何も異議は唱えなかった。そのうえでネット上を見ると「ジャニーズ事務所を悪人にした方がいい」といった論調があることは分かっていたが、同社社員からすれば「会社全体を考えればジャニーズ叩きは良くない。かといって、脱退する3人も叩きづらい」といったものに落ち着いたのである。

こうして様々なメディアがジャニーズ事務所に対して自主規制をするほか、出禁を恐れるため、やたらとジャニーズ礼賛記事が雑誌に登場し、何かと看板番組にジャニタレが出演する流れが完成したのだ。日本テレビの『24時間テレビ』などその最たるものである。

私の原稿が修正されたSMAP忖度事件

そして、ここから先はさらにすさまじい話になっていくのだが、もう時効だ。書いてしまえ。いや、こういった前置きをしなくては書きづらい件を私は2001年8月末に経験している。この年の3月31日をもって私は広告会社No．2の博報堂を退社し、無職になった。その後、フリーのライター／編集者になるのだが、売り込んだ先は新聞のラジオ・テレビ欄を作ることで知られる東京ニュース通信社の発行する雑誌『テレビブロス』。「テレビ雑誌」を謳（うた）っているにもかかわらず、サブカル寄りの誌面作りをし、さらにはバカな特集を多数作っていた。「サブカル誌にテレビ番組表が載っている」という言われ方をした雑誌だが、私はこの雑誌の編集に携わって実に幸せだった。何しろやりたい放題特集を作れるのだから。

そんな中、「SMAP解散シミュレーション」という特集作りを編集長から依頼された。2001年8月、稲垣吾郎が道交法違反等で逮捕されたことを受けて、それまで解散の噂が取り沙汰されたSMAPがこれにより本当に解散するのでは？ といった憶測が強くなった時の話である。

テレビブロスという雑誌は、東京ニュース通信社というジャニーズべったりの会社では異彩を放つ治外法権的な雑誌だった。だから、同社の他の雑誌がジャニーズ批判を一切せずひたすら持ち上げる中、おちょくることもあれば、批判することもあった。一方、ジャニーズが頻繁に表紙に登場する『TVガイド』も発行しているわけで、ハレーションは確かに発生していた。

この「SMAP解散シミュレーション」という特集では、編集長から「解散した場合の経済効果を算出してください」と言われていた。特集は全6ページ。編集長からのオーダーは「SMAPのメンバーが登場する際、全員に『メンバー』という呼称をつけてください」というものもあった。稲垣メンバー、木村メンバー、香取メンバー、草彅メンバー、中居メンバーと書くように、という指示である。完全におちょくることを目的とした特集なのだ。

かくして取材がスタートしたのだが、ＳＭＡＰの熱烈なファンの漫画家女性に取材をまずはした。彼女はＳＭＡＰ解散の噂があることを教えてくれたが、ＳＭＡＰの魅力についても詳しく語ってくれた。これが最初の２ページである。

そして、その後の４ページは本題である「ＳＭＡＰ解散危機が言われた歴史」と「ＳＭＡＰ解散の場合の経済効果」についての分析となった。森且行（かつゆき）の脱退などＳＭＡＰの空中分解の危機を振り返ったうえで、今回の稲垣の逮捕がどのような影響を与えるか、という前提を述べたうえで、いよいよシミュレーションに。

この時は野村総研勤務の大学の先輩に手伝ってもらい、シミュレーションをした。先輩は「解散することによってどんなことが起こるか想定してくれ。ＳＭＡＰの熱心なファンの人数やライブの動員数等も含めて分かることを教えてくれれば、オレの方でシミュレーションはする」と頼りがいのあることを言ってくれた。

そうして「解散ライブを全国のドームで実施」「記念グッズ販売」「ライブに行くための交通費」「周辺飲食店に落ちるカネ」などを想定。これらはプラスの経済効果だがマイナスの経済効果として「解散が決定した翌朝は全国50万人のＯＬがショックで会社に行けなくなる。日当1人1万円で、全国50万人として50億円の損失」というフザけたものも入れておいた。そして算出された金額は930億円となり、「吉野家の年間売り上げと同じだ！」とドカーンと書いた。

雑誌作りでは「ラフ」というものが必要だ。これは設計図のことで、ページごとにどのようなレイアウトでどのような要素を入れるかを手書きで記載するもの。デザイナーに写真やイラストを渡し、ラフの通りにレイアウトを組んでもらうのである。

ある日、A3用紙3枚になった6ページ分のこのラフを編集長の机の上に置いて私は家に帰った。翌朝、再び編集部へ行き、編集長がOKを出したかどうかを把握すべく彼の机へ。するとそこには丁寧な字の置き手紙があった。編集局長によるもので、こうあった。

「○君（編集長の名前）このラフを見ました。貴殿は当社とジャニーズ事務所の関係性、日々お世話になっていることを知っていて、このような言語道断な企画を作ったのですね。絶対にこの企画はボツにしてください。校了も近づいているとは思いますが、別の企画を急遽作るように。なお、911のテロの犠牲者を揶揄するような特集も絶対にダメです」

これを見た瞬間、「本当にジャニーズに対する忖度は存在するんだ！」ということがよく分かった。この編集長はその後も木村拓哉主演ドラマ『プライド』（フジテレビ系）というドラマに関連し、編集局長からまた怒られている。

この稲垣逮捕騒動から約３年後の話だが、木村拓哉がアイスホッケー選手に扮するこのドラマで撮影中に木村がアイスホッケーのパックを打ったところ、エキストラの女性の顔面に当たり、流血する騒動があった。これは大々的には報じられなかったが、編集長はコラムで「最悪にカッコ悪い男」的にこきおろした。この時も編集局長及び他の上司、ＴＶガイド編集部から大スカンとなったのだった。

日本人タレントはなぜ海外で通用しないのか

このような「忖度」の一体何が悪いかについては、２０２３年６月４日に名古屋商科大学ビジネススクール教授の原田泰氏が現代ビジネスで的確に指摘している。記事のタイトルは『ジャニーズ問題で見えた…！「日本のテレビドラマ」をつまらなくした、メディア界の「悪しき権力構造」』である。同氏は、「ジャニーズありき」でドラマ・番組を作ることにより、日本のテレビがつまらなくなったことを深掘りする。

芸能事務所がテレビの作り手よりも力を持ち、キャスティング権を握ってしまうことの問題点をまずはこう指摘する。

〈配役が限定されれば、演出家も脚本家もやる気を失ってくる。自分の作品ではなく、他人の作品になるからだ〉

〈ところが、芸能プロの思惑通りに「売り出したい俳優」が押し込まれるようになると、演出家や脚本家の思いなどどうでもよくなってしまう〉

〈熾烈(しれつ)な世界競争を戦っているトヨタに対して、傘下の部品メーカーのデンソーが「俺たちの利益のために、この部品を使え」と強制するようなものかもしれない〉

ジャニーズタレントの演技力・歌唱力・トーク力・基本的な知性が高いのか低いのかはよく分からない。だが、「ジャニーズに所属している」ということで仕事がもらえるのであれば、他の事務所所属の芸能人の機会が失われていることになる。平等にオーディションに参加し、その中で事務所バイアスナシで選んだら果たしてジャニーズの芸能人はどれだけ本番に登場できるのか？　雑誌を見ると「なんでこいつらが表紙なんだ？」というグループが出ている。そして巻末の「○○（グループ名）に○つの質問」などとグループ名にかけた質問を各人にする。

「メンバーで一番ヘンなのは誰？」みたいな質問に「ヒロシかな。いつも笑っちゃう(笑)」みたいなどうでもいい答えが書かれる。テレビ番組に限らず、雑誌でもジャニーズタレントが表紙とグラビアをかっさらっていく。

ＡＫＢ48グループもそうだが、ジャニーズもＫ－ＰＯＰと比べても「学芸会」と言われることがよくある。私は彼らのステージを見たことがないので何とも言えないが、Ｋ－ＰＯＰではＢＴＳをはじめ、世界で成功したグループもあるため、やはり韓国の方がレベルが高いのかもしれない。タイ・バンコクにいた時も見たが、Ｋ－ＰＯＰのグループがＣＭに起用されるなど、絶大なる人気を誇っていた。日本のタレントなどほぼ見なかった。佐藤健と思われる人物が出る日本製の商品の広告は見たような気がする。

それは韓国の彼らが過酷なオーディションと猛稽古、さらには語学の習得など一流になるべく研鑽を積んだ結果の話である。しかし、ジャニタレが海外で外国人から熱狂的支持をされているという報道はない。「Ｔｒａｖｉｓ Ｊａｐａｎ」は海外留学をし、アメリカでデビューしたものの、結局、曲のダウンロードは日本からのものが多かったという。しかし、メディアは「海外進出！」とひたすらヨイショし続けたのである。本当に海外で通用した日本人アーティストといえば、ラウドネス、坂本龍一、ＢＡＢＹＭＥＴＡＬ、少年ナイフといったところだろうか。

あと、ウェブメディアで性加害問題も含め、やたらとジャニーズ叩きの記事が多いのは、ジャニーズ事務所が元々ネットを敵視していたからである。当然、ジャニーズ絡みの取材に入れてもらえるワケもなく、何の恩恵もないため、ＰＶが稼げるとばかりに好き放題悪口を書いているのである。ここも「勝ち馬に乗れ」的にウェブメディアは小物的行為をしたのだ。ジャニーズ叩きが大手メディアで始まると、これらショボいウェブメディアもその論調に乗った。つくづくダサい日本である。

【第4章】

マスクが露わにしたこと

他人の目を気にする人間がダサい国を作る

2023年3月13日以降、新型コロナウイルスをめぐって「マスクは任意」となった。元々任意だったのだが、政府や厚労省が「改めて任意であることを強調します」と宣言したということだ。しかし、その後もそれほどマスク装着率は減ることはなく、90%近くは着けていると日本テレビのAIカメラが試算したりもした。テレビの街頭インタビューに登場する人々は「慣れた」「外すのが恥ずかしい」「花粉症がつらい」「顔に自信がない」などと外さない理由を述べたが、もっとも多かった理由は「周りが着けているから」だった。

外すタイミングは「周りが外したら」が大抵の調査ではトップになる。結局、2023年7~8月、マスクを外す人は特に都市部で激増した。「花粉症がつらい」の主張ができなくなったのに加え、暑い。さらには多くの人が外したからだ。「他人の目を気にする」ということは、以下をもたらす。

①出る杭は打たれ、異論が許されない社会になる
②自分が本当にやりたいことをやれなくなる
③批判を恐れてアイディアを発表できなくなり、意見を言わなくなって決まったことに従う指示待ち人間だらけになる
④何か変化を起こすことを極端に恐れる。企業では上司に決めてもらおうとする力学が働くが、上司も役員に決めてもらおうと考える。役員は社長に決めて欲しいと考える。しかし社長は「顧客の意見」「世間の空気」や「役所の通達」に決めてもらおうと考えるから結局変わらない。
⑤成功して目立つ者の凋落を大多数が願うようになる。

２０１９年まで「広報」「ウェブでの情報拡散術」と「編集&ライティング」「フリーランスで生きていく方法」に関する講師を「宣伝会議」社で私は担当していた。正直、同社の講義においては、トップクラスの仕事の多さである。前者２つは企業人相手で、後者２つは、フリーライター・フリー編集者になりたい個人向けだ。後者２つについては、自分でカネを払って受講したうえで、将来モノカキとしてカネを稼ぎたい人々だからギラギラとした空気があるし、質問もバンバンしてくる。講座終了後は「今から飲みませんか？」

と誘われる。こういった人々が集う場所では「質問をする」「ギラギラする」は自分にとってメリットがあるため、皆自然にやる。これは素晴らしいし、将来的に彼らがやりたい職業に就ければいいと思う。これは「周囲も質問をしているしギラギラしているから私もそうする」という側面はあるだろうが、自分の幸せを望んでいるからこその行動だろう。私はこうやって自分の人生を上向かせたいと考える人々は大好きだ。

しかし、問題は企業から派遣された前者なのだ。とにかく「目立ちたくない」という空気に溢れているのだ。こうした講座は集中講座になっており、朝10時に一限、13時に二限、15時に三限といった形になっており、ほぼ出張扱いになっていることだろう。元々忙しい中、上司から「行かされた」と彼らは考えているため、受講のモチベーションは低い。講義中に携帯電話が鳴って慌てて外に出ていく。極力他の会社の人とは喋らないようにし、講義中も時々メモを取るフリだけ。バカげたネット上の珍騒動等を紹介した場合、周囲で笑っている人がいなかったら自分は笑いをこらえる。他の人も笑っていたら、自分も笑うという動きを頻繁に見た。

日本人が感情を爆発できる場所とは

私はネットに書き込まれるバカ意見やら、ネット発の珍騒動をパワーポイントのスライドで多数紹介する。それこそ、セブン＆アイ・ホールディングスが運営する通販サイトが１本１５８円のペットボトルのお茶だと勘違いし、１ケース（24本）の箱に値段を書いてしまうことはある。そうするとかつての2ちゃんねるでは「乞食速報」というスレッドでこの情報を共有し、一斉に購入を始めるのだ。ヒドい時などオリオンビール６０００本（２００ケース）を6万円分買い、転売したと報告する者なども出た。本来の価格は１２０万円である。さらには、「2万本入り5万円」の工具もあったが、これは実際は「単価５万円」のため、10億円の価値がある。これを買ったと報告する者もいたのである。

オリオンビールの件については、事実かどうかは分からないが、実はこの時、セブンのサイトは2回目の誤表記だった。前回の時はミスした方が悪いということで、正式に商品を発送したようだが、その後は民法改正によって、明確な誤表記の場合は取り消すことができるようになり、サイト側は注文取消しのお詫び代金として２０００円を支払った。

こうしたことは、自分に降りかかったらとんでもないことだが、他人事としては見ていて面白いもの。さらには、ネットの書き込み者が完全にサイト側をおちょくっている様などは驚くとともに、コメディを見ているような気持ちになる。

こういったおかしな事例をこれでもか！　とばかり私は紹介してきたが、日本人は、「笑う」という行為についても、周囲を見てから決める。恐らく「勉強のための講座で笑っていいのだろうか」や「他人の不幸を笑っていいのだろうか」「この講師が真面目に作ったスライドを笑っていいのだろうか」といった逡巡があるのだろう。

だが、私はその頃、頻繁にライブハウスで「ネットニュースMVP」というイベントをやっており、この手の騒動は散々紹介し、観客の大笑いを誘っていたのである。

このイベントは「笑うため」「ネットの珍事件を振り返るために自分からカネを払う人々」という目的と属性があったため、容赦なく観客は笑った。このように、打ち解けている場所、空気感が分かる場所では日本人は感情を自由に爆発させられる。それは野球場や、アイドルのライブでも同じだろう。終了後は電車に乗るまではひいきチームのユニフォームやら「推し」のハッピを着るなどしているが、電車に乗るとイベント参加者以外の客もいるため、その人々に配慮すべく、改札口を通る前に普段着に戻る。ただ恥ずかしいだけかもしれないが。

他の人もやっていれば非常識もOKという感覚

話は講座に戻るが、これは質問タイムにも表れる。終了時間の8分前ほどに「これで終わりです。何か質問は？」と聞くと手が上がらない。15秒ほど待つが上がらない。私もネット用語を駆使して喋るため、「言葉が分かりづらいとか、もう一度あのスライドを見たい、とかでもいいです」と言っても手は上がらない。時々「今日の資料はもらえますか？」と質問をする人はいる。

残り時間は6分ほどあるものの「じゃあ、質問がないので少し早いですが、これで終わりにします」と私が片付ける準備を始めると、周囲を見ながら、前方の私の元へやってくる受講者がいる。そして「名刺交換をしてください！」と言うのである。すると、続々と受講者が立ち上がり、列を作る。そして、この列を作った時に質問を寄せてくるのだ。その際、長々と演説をする人もいるが、それは並んだ人の頭の中に「他の人も長く喋ったからOKだろう。他の人も後ろの人を待たせたからOKだろう」という考えが浮かぶことを意味する。

他の人もやっていれば非常識であってもOKということになる。

新型コロナ騒動が始まった直後の2020年3月、全国各地でトイレットペーパーが売り切れた。それは、ツイッターで発生した「紙の一大輸出国である中国から紙が輸出できないから、トイレットペーパーがなくなる」という説に端を発する。この時は売り切れの店は少なかったが、トイレットペーパーが売り切れた店舗をテレビがなんとか見つけて取材し、「本当にトイレットペーパーがありません！」と放送することで、一気に全国の小売店の棚からトイレットペーパーを消滅させることができた。その後、トイレットペーパー業者が倉庫内の豊富な在庫を見せて火消しを図り、ようやくこの騒動は終結した。

しかし、マスクをめぐってはなかなか終わらなかった。というか、マスクがコロナから身を守る、といった説が登場して以降、開店前のドラッグストアには高齢者を中心に長蛇の列ができ、その脇を通勤する若者が通り過ぎていった。結局、マスク不足はアベノマスクという天下の愚策に繋がることとなったのだ。

「他の人も買っているからトイレットペーパーを買う」「他の人も並んでいるから私も並んでマスクを買い占める」といった状況の後、「なんで私達勤労者はマスクを買えないの！」という不満が噴出し、アベノマスクに至った。それと同時に、長く続く「マスク万能論」を決定づけてしまった。後の報道では、佐伯耕三秘書官（当時）が「全国民に布マスクを配れば不安はパッと消えますよ」というアイディアを思いつき、安倍氏が応じた、というものがある。安倍氏本人としても国民のパニックが極限状態になり、打つ手がない中でガス抜きとして出した窮余の策がアベノマスクだったのだろう。

「横並び」「目立つのは悪」の空気感

かくして「横並びに1住所2枚の布マスクを送ります」という平等の精神が発揮されたのである。その後、アベノマスクに批判が殺到したことは記憶に新しい。反アベ政権の左派が過度に騒いだ面もあるが、「布マスクは意味がなかった」やら「8000万枚も余りまくった」「543億円もかかった」「埃がついていて使えなかった」などと非難囂々。

当時できることをしようと考えた面については気持ちは理解するものの、結果的にマスク神話を強化することになったことは間違いないため、アベノマスクは天下の愚策だったと私は考えている。

アベノマスクは「皆と同じようにマスクが着用できる人生を！」の理念のもと配布が始まったが、各世帯に行き渡る頃にはすっかり「不織布マスクは意味があるが、布マスクとウレタンマスクは意味がない」的論調になっていた。本当は空気感染において衛生用マスクなんて意味はないのだが、アベノマスクをつけていると「皆と違う」状態になり、結局安心感の除去にさえならなかったのだ。改めて愚策である。

ちなみに「不織布」とは「織っていない布」を意味し、「ウイルスを防ぐ材質」という意味ではない。ツイッターユーザー「えれこーど」氏（現・Mr．ＮｏｎＷｏｖｅｎ）は、不織布メーカーの社員だが、自社商品が過大評価されていることについて常にツイートを続けている。だが、マスク信者と医者は「着けないよりマシだ」「マスクには効果があるという論文は存在する」と毎度食ってかかっている。それだけ「マスク真理教」は根深い社会病理になっているのである。えれこーど氏はマスクの本当の効果を知っている、いわば「教祖」である。しかし、信者たちは「マスク様」という神を冒瀆（ぼうとく）する堕落した教祖で追放すべき、と考えているのだ。実にいびつである。

そして2023年5月、私が疎開先のタイから帰国した時、日本はまだ「周囲の目が気になる」とマスクを外せない状態が続いていた。バンコクでも、エリアによって着用率は異なることは前述した。シーロムというオフィスエリアで、若い女性会社員の大多数は着用している。そういった意味でタイ人も他人の目が気になったり、会社からの命令に従っているところはあるのだろうが、日本のように他人に対して公共の場や商業施設で着用を強制してくることはない。これはかなり快適なことである。そして、エリアによってはマスク装着率は相当低い状態になる。そういった意味では横並びの国民性ではないし、「目立つのは悪」といった空気感は存在しない。

クールビズ導入「様子見合戦」と謎すぎるビジネスマナー

2023年3月13日から「マスク着用は任意」となったが、新型コロナの感染症法上の5類への変更がされる5月8日までマスク民はそれほど劇的には減らなかったとの報告がツイッターでは相次いだ。3、4月は「花粉症がひどい」といった理由で外さなかったが、5月に入って花粉シーズンが終わっても大多数が着用を継続した。結局、目に見えて減ったのは暑くなった7月である。

この動きを見て思い出したのが、2005年6月1日に開始したクールビズである。小泉純一郎政権の際、環境大臣の小池百合子氏が小泉氏から夏場の軽装のキャッチフレーズ化を提案され、誕生した。男性はネクタイを外し、ジャケットを着用しない。沖縄の「かりゆしウェア」も推奨された。

この頃、広告会社の人々とよく仕事をしていたが、基本的にはスーツ着用の営業はクールビズになろうがジャケットを着てネクタイも締めていた。「クールビズじゃないんですか?」と聞いたら「得意先に行くのに、さすがにノータイ・ノージャケットってのもどうかな……」と言われた。

ちなみにこの年の東京の6月の最高気温は36・2℃で、最低気温は20・2℃。平均23・2℃だった。同7月は順に35・6℃、22・7℃、25・6℃。8月は35・8℃、26・6℃、28・1℃、9月は33・1℃、22・3℃、24・7℃だった。十分暑いではないか。

それでも我慢大会のごとく営業マンはスーツとネクタイを着用し続けた。比較的恰好は自由な広告業界でさえそうだったのだから、もう少しお堅い職種の営業マンは「お客様に対してとんでもなく失礼では……」と頑なにクールビズ導入を拒んだのではないか。ただし「清涼スーツ」の導入ぐらいはしたかもしれない。だが、数年後にノーネクタイは当たり前となり、周囲が少しずつ外していくのを脇目で見ながら徐々にクールビズは浸透していったのである。

ただし、今でも夏の期間に企業へ行くと「当社は節電の観点から従業員がクールビズを実施しています。ご理解とご協力をよろしくお願いします」と書かれた紙が受付やエレベーターホールに貼られてある。若干暑いと感じる来客へのお詫びかつ、クールビズを着用する従業員は失礼な人間ではないことを理解してもらおうとしているのである。

「失礼」をクリエートするマナー講師という仕事

この「上着を着ない人間は失礼」「ネクタイをしない人間は社会人失格」というのは一体いかにして生まれたのか。完全に「空気」が作り出したのである。日本のビジネス界では「謎過ぎる失礼行動」が存在する。いくつか挙げてみる。

◆勉強会等の講師が「壇上から失礼します」と言う

◆プレゼン者が「上着を脱がせていただきます」と言う

◆宴会でビールを酌する際、「片手で申し訳ありません」と言う

◆名刺交換の際は、下から出すのが丁寧。先に出した者が必然的に上になるが、するとその人物は下から名刺を出す。さすがにしゃがむ手前で折り合いをつけて名刺交換がようやく成立する

◆リモート会議では、立場が下の者は先に入り、退出は最後

◆「電話してもよろしいですか？」とメールを送るのが丁寧

◆名刺を交換する順番は、互いのエラい人順となる。近くにいる人と交換すれば余計な待ち時間が発生しないのに……

◆エレベーターホールでドアが閉まるまで互いに頭を下げ続ける

◆2023年5月8日の新型コロナの感染症法上の位置づけが5類に移行したことにより、マスク着用圧が減少。対面型の会議では周囲の雰囲気を見たうえで、外している人間が多数派だと「私もマスクを外させていただきます」とやるようになった

こうした謎ルールを作るのがマナー講師である。ネットスラングでは「失礼クリエーター」とも呼ばれる。その心は「『マナー』と称して実際は『失礼な行為』を勝手に作り出し、人々に押し付けるから」である。2020年9月のシルバーウィークにあたり、情報番組『直撃LIVE グッディ!』(フジテレビ系)は「対策意識に差　怒号も　4連休 with コロナ　観光地　混雑時の新マナー」としてマナー講師の井垣利英(としえ)氏の提案を紹介。同氏の提案を基にスタッフが作ったフリップが完全に「失礼クリエーター」のソレなのである。ここでは井垣氏の名誉のために補足するが、番組スタッフが拡大解釈をした面があるとのことだ。

行列時の新マナーは「ソーシャルディスタンスを保つことが難しければ話をしない　なるべく後ろを振り向かない」。エレベーターでの新マナーは「乗っている間は壁を向いて立つ　人が多く壁を向けない場合は次に乗る」。SNSの新マナーは「旅行時の投稿は

『楽しい』アピールではなく施設の感染対策などを伝える」。

３つ目など完全に「不謹慎厨」対策としか思えない。「不謹慎厨」とは、「ふきんしんちゅう」と読み、震災の直後等に笑顔の写真をＳＮＳに投稿したり、高いワインを飲んだりしたことを報告すると「こんな時期に不謹慎です！」「今でも避難している方がいらっしゃるのに、高いワインを飲んだ自慢をするなんて不謹慎です！　被害を受けた人に対するデリカシーが欠けています！」と糾弾してくる人々のことである。

このように、基本的には「もしかしたら私の行動により誰かを不快にさせてしまうかもしれない」というものが謎のマナーとなり、そうしなくては非常識人扱いされる空気が醸成されていくのである。

転売ヤー・旅行割……ショボい儲けが好きな日本人

日本が徹底的にダサい国になったことを感じるのは「ケチ」「少しでもトクする行動を取る」「大好きな言葉は『コスパ』」「ポイ活（ポイント活動）が好き」な国民が多過ぎることである。「はじめに」でも記した「1回イオンに来店すれば2ポイント（2円分）もらえるため、GPSをいじって1ヶ月で約540万ポイント貯めた無職男」などがそれにあたる。

前にも触れた通り、ネットには「乞食速報」という言葉がある。それは、お得情報や、通販サイトで価格の誤表記でとんでもなく安くなったなどの情報を共有する匿名掲示板のスレッドのことである。こうしたお得情報を共有し、一斉にそのお得な買い物に群がるのだ。そして、掲示板ではどれだけ得したかの戦果を誇り合う流れとなる。

2020年10月、「トリキの錬金術」という言葉がネット上に躍ったことがある。これは、当時政府が主導したコロナ騒動時の飲食店応援企画「Go To Eat」に関連したもの。グルメサイト経由で予約した利用者は昼食で500円分、夕食で1000円分のポイントが還元された。すると、1品298円（税込み327円）がウリの焼き鳥チェーン「鳥貴族」で1品だけを頼み、差額の673円をせしめる者が相次いだ。これが「トリキの錬金術」の意味である。

そして、鳥貴族の店をハシゴする「鳥貴族マラソン」や「無限鳥貴族」という言葉も生まれた。時給でいえばたいしたことはないのだが、それだけケチ人間が多いということだろう。結局、鳥貴族はこの悪用を打破するため、コース料理を予約した客のみ対象とするという措置を取ることになった。セコいことを考えさせたら天才的な能力を発揮する人材層が日本は実に厚いのである。

朝刊に挟まれるスーパーのチラシを見て、複数軒をハシゴするのは定番だったが、今や新聞を取る家庭も激減。となると、地元のチラシを見ることができるスマホアプリで各商品が安い店を探すこととなる。よく、スーパーは特売価格でカップラーメンを売る。通常138円のものが98円や89円になっている。それはあくまでも来店してもらうための「エサ」である。他のものも買わせるためにラーメンだけを激安価格にし、店としては儲けを増やそうとしているのだ。しかし、賢い（笑）消費者は、近隣4軒のスーパーを車や自転車でハシゴし、お買い得商品を買う。チラシには書かれていないものの必要なもの、たとえばブロッコリーとしようか。その場合、各店でブロッコリーの価格をチェックしておき、

4軒目が一番安ければいいが、それ以前の店が安かったらそこに戻ってブロッコリーだけを買う。車で回る場合、今のご時世ガソリン代の方が高いだろうに。

2023年に入ってから鶏卵が非常に高くなった。以前は10個入り198〜218円だったが、298〜318円になった。鶏卵が贅沢品になってきたのだが、ある日スーパーで8個入り鶏卵が168円で売られているとチラシにあった。限定100パックで1人1パックまでと注意書きがある。開店20分後に行ったらもう売り切れていた。中には家族3人で行き、別々にレジに並ぶという技を駆使した者もいるはずだ。

「節約の何が悪いんだ！」と怒りたくなるだろうが、もっと頭を使って稼ぐ方法を考えられないのか？　と思うだけだ。或いは、数十円の差のために雨が降っていようとも外にでる不快さは数十円以上のデメリットがある、というコスト感覚を持たなければ人生は損するのである。雨の日のスーパーにビニールの傘袋が落ちている。とにかく安い鶏卵が欲しいから、と走ったら傘袋のせいで転倒。これで骨折でもしたらどうするのだ。さらには突風が吹いて傘が骨組みだけになってしまうかもしれない。そうすると激安店で購入した198円傘を失うことになる。とにかく全般的に「セコさ」が漂うのが日本人が大好きな「コスパ」と「ポイ活」なのである。

ワクチン接種でスバルの車１台プレゼントだと!

ワクチン接種をめぐり、多くのキャンペーンが登場したが、それらを振り返ってみる。

一番大きかったのは3回接種で「全国旅行支援」が使えたことだ。２０２3年5月8日のコロナ5類化で廃止されたが、それ以前はワクチン３回接種か陰性証明の提示を条件に宿泊費最大５０００円補助＋地域クーポン最大２０００円が付与された。３回目接種を迷っている人もいる、という記事があったが、そこでコメントした一般人が答えたのは「だが旅行支援を受けたいから接種するだろう」というものだった。思わず「おい！　数千円だぞ！」と思った。

だが、これはまだマシな意見で、「この程度の特典でよくこんな治験中の薬を打つよな？」と正直思うものはたくさんあった。列挙してみる。


レンタカー料金40％引き（バジェットレンタカー）、宿泊施設の館内利用券３０００円付き（日本旅行）、宿泊料金５０００円ＯＦＦ（新潟県月岡温泉）、タイヤ・タイヤホイール交換工賃半額（アップガレージ・東京タイヤ）、接種済み5～10名で５０００円相当のトマホークステーキ１本／11人以上で２本（青空屋形船メリーグリーン）

——ここまでは若干お得感はある（とはいっても私はこんなもんでは打たないが）。ここから「こんなもんで打つヤツがいるのか？」と思うが、恐らく彼らはこうしたサービスをする店を渡り歩き「1万円分トクした。自分の身が守られたうえに特典があるって最高じゃん！」などと思ったのだろう。

それでは続ける。

ワイド補償が無料（スカイレンタカー）、通常1ドリンク付きのところ2ドリンクサービス（JELLY JELLY CAFE）、300円割引（ボードゲーム　カフェ＆バー10 BILLION POINT）、10代20代限定、当院でワクチン接種された方にスタバカードプレゼント特典あり！（バイタリティクリニック神戸三宮）、ドリンク1杯無料（※期間中何度でも　薩摩　牛の蔵）、ネックチューブプレゼント（スマイルリゾート）、ボウリング1ゲーム無料（※貸靴代別途300円　勝田パークボウル）、ドリンク1杯無料（天津飯店グループ）、入校時値引きor在校生キャッシュバック、希望者には接種済バッジプレゼント（KDS熊本ドライビングスクール）、生ビール1杯無料（ワタミグループ）

どれもこれもロクでもない特典だが、「こりゃ、打たせたいだけだな」と感じたのが、群馬県が２回接種した20～30代の県民１名にスバルの車をプレゼントすると発表した時だ。１人に約２２０万円の「ＸＶ　１・６ｉ　ＥｙｅＳｉｇｈｔ」が当たるのだ。あとは３５０人に対し、県内で使える旅行券２万～５万円分が贈られることになった。スバルの車である理由は、同県太田市に工場があるからだが、「そうまでしないと打ってもらえない程度の代物である」ことを群馬県庁が分かっていたとしか思えない。だが、この「おまけ」が効くんだよ。そりゃあ、前澤友作氏が「２０１９年１月７日までにフォローし・当該ツイートをリツイートした人１００人に抽選で１００万円プレゼント」とやり、ツイッターのフォロワーが３４０万件増えるわけだ。複数のＩＤを作って応募した者もいるだろうが、当選率はおよそ０・００２９％である。

「タダだから接種する。有料ならしません」

「ハイスペック向けのマッチングアプリ」である『バチェラーデート』が２０２１年９月３日・４日にワクチン接種に関して行った調査結果をまずは見てみよう。この調査に答えた２２７名は20～39歳。９月といえば、若者が１回目、２回目接種を終えた頃に相当する。

質問は「ワクチン接種したら安心して外出デートを楽しめると思いますか？」で「安心して楽しめる」が53％で、「やや安心して楽しめる」が41・5％、「楽しめない／変わらない」が5・5％。つまり、94・5％が「安心する」と答えたわけだ。この調査段階では、30代で28％、20代で37％が「接種しない」ないしは「未定」と答えた（両世代では32・6％）。この227人に「特典があればワクチン接種しますか？」と聞いたところ、51・4％が「特典あれば検討する」と答え、その内分けは「接種する」が12・2％、「内容によっては接種する」が39・2％となった。この時に「接種しない」と答えたのは110人のため、20～30代の13・0％に相当する。日本では2回接種は20代が81・0％、30代が79・7％（2023年9月12日の官邸公表時点）。この調査の対象は「打たない」という意思が全体よりは少なかった模様。

同アプリでは、ワクチン2回接種の接種済みシール画像を提出し、指定期間内にデートを完了した場合に特典が受けられた。内容は女性はカフェで使えるドリンクチケット500円分で、男性は翌月月額利用料から1000円値引きだ。

また、日本トレンドリサーチが2021年10月16日～10月19日に行った調査は3回目接種に関するもの。「〝3回目の接種が公費負担〟の場合、あなたは3回目の接種をしたいですか？」という質問で「接種したい」と「どちらかといえば接種したい」合計の結果は以下の通り。

20代以下：62％、30代：66％、40代：73％、50代：76％、60代：87％、70代：90％。

そして、3回目接種が公費負担でない場合は「接種したい」「どちらかというと接種したい」を合わせた割合は46・4％、「接種したくない」「どちらかといえば接種したくない」割合は53・7％となった。「無料でなかったら打たんわ……」という層がそれなりにいるのである。「有料でも接種したい」と明確に答えた人はわずか17・2％だったのだ。

ツイッターでも私の元に「当方の親戚もタダだから接種したそうです。有料なら接種しないと言っています。他の知人は、接種して2、3日間は体調不良だと言えば、有給を使わずに会社が休めるから接種を繰り返したそうです」というメッセージが寄せられた。

さらに、ツイッターを見ていたら5回目のワクチンを5月8日前に駆け込みで打ったと報告する人も登場。理由は副作用で休んだ場合、5月8日以降は有給休暇扱いになるためだ。どこまでケチなんだよ日本人。

と思ったら、5月8日以降の6回目も無料でこれまた高齢者を中心に群がった。9月、7回目を含めた「秋接種」が開始するのを受けて各自治体は受付を開始。ツイッターには「予約が10月まで取れなかった（泣）」みたいなコメントも多数だ。とにかく「無料」と聞けば飛びつかなければ損をすると考えるさもしい人間が多過ぎるのである。

新型コロナの水際対策は非合理なことばかりだった

２０２１年11月、新型コロナウイルスのオミクロン株が南アフリカで発見され、岸田文雄首相は、全世界からの外国人の新規入国停止を即決。要するに水際対策の実施である。すると、読売新聞の12月世論調査ではこれを「評価する」が89％で、「評価しない」は８％だった。そのうえで、内閣支持率は11月調査から６ポイント上昇し、12月は62％になり、不支持率は29％から22％に下がった。

これに味を占めたのか、岸田政権は水際対策を延々と続ける。他の国が水際対策をやめても続けたのだ。私が後に３ヶ月過ごすことになるタイは２０２２年10月でワクチン接種もマスク義務も撤廃した中、日本は外国人の新規入国こそ解除していたものの、①陰性証明の提示②ワクチン３回接種、を条件にした。これがある限りコロナは終わらないし、支持率を下げたくない岸田政権は２０２３年末まで引き延ばすだろう、と判断し私は決まっていた対面での仕事と確定申告が終わった２０２３年２月に外国へ逃亡することにした。

帰国の条件は、①陰性証明の不要、②福岡と東京を番組出演のため定期的に移動する必要があり、国内の飛行機でのマスク不要、の2つである。これで分かるだろうが、私は一度もワクチンを打っていない。「なんで死なない病気のために急造の治験中のワクチンを打つ必要があるのか?」ということで打たなかったのである。ちなみに2023年9月20日に接種が開始したXBB.1.5対応ワクチンはマウスに対しての効果が認められ、そこで得られた安全性から日本人が世界に率先して打つこととなった。

私は2020年3月段階でコロナ騒動について、「史上最大のバカ騒動になる」ことは分かっていた。だから、感染対策もしないし、ワクチンも打たないことにしていた。「後出しジャンケン」と言われたくないので、証拠として、2020年3月16日、苦境に喘ぐライブハウスで実施した無観客イベントについて『マネーポストWEB』にて執筆した原稿を引用する。タイトルは『コロナ被害が直撃、7000万円損失のライブハウス運営の憤(いきどお)り』だ。私は出演者である。なお、イベントの内容は、その段階でのコロナに対する社会の風潮、メディアの報道姿勢、人々の捉え方などに対するものである。

同記事では、「中川のイライラ」という、実際にその場で使われたスライド画面が写されているが、当時の私のイライラは以下の通り。この項目だけでは分かりにくいので、( )内に、その「イライラ」の理由を補足する。このスライドを基にイベントは進行した。基本は「コロナでいかにこれまでの人生をぶっ壊されたか――である。

・白人様の態度の豹変（ウイルスが武漢発だったことから、オランダ在住の日本人知人がスイスのスキー旅行の時、恐怖の表情を白人から浮かべられ、露骨に避けられた。彼らにとってアジア人は国籍関係なく全員がウイルス保有者に見えたのだ）
・ＰＣＲ検査の是非（当時は『モーニングショー』をはじめとしたテレビ番組が「ＰＣＲ検査を大量に実施し、陽性者を見つけ、隔離せよ！」と絶叫していた時期。それって人権侵害では、と思った）
・テレビをもう見たくなくなった（とにかく白鷗大学教授の岡田晴恵氏やテレビ朝日の玉川徹氏がコロナの恐怖を徹底的に煽り続けるものだから「オレの生活、今まで通りだが……。別にそこら中で人がバタバタ倒れていないが……」と思い、その煽りっぷりに耐えられなくなっていた。ニュース編集者なので仕方なく見てはいたが）
・花粉症はどこへ行った？（それまで春のテレビ及び仕事相手との春先の話題は花粉症だったが、誰もその話をしなくなっていたことへの違和感）
・倒産を本気で心配している（この頃、自粛が奨励され、営業停止圧力が強まったことから経営が苦しくなる業態が多かった。ライブハウスもその一つ）
・非正規雇用の人々はどうなる？（右記に関連し、解雇しやすい非正規雇用者の仕事が心

配だった）

・こうした時、実はメディア業界は案外強かった（ステイホームなワケだから、メディアに接する時間が増えていた）

・転売ヤーは醜い（当時品薄だったマスクを高額で転売する人々への苛立ち。別に私はマスクなど不要だと思っていたが、恐怖に付け込んで儲ける人間に腹が立った）

・老人vs若者&中高年発生中（高齢者を守れ！　孫がおじいちゃんおばあちゃんに感染させる、という説をテレビの専門家が言い続けたため、「オレらを病原菌扱いするのか！」との対立が発生）

・アクティブ老人憎悪発生中（それなのに、クルーズ船「ダイヤモンド・プリンセス」に乗っていた高齢者がジム通いをした後にジムでクラスターが発生したことや、千葉から富山・岐阜へ旅行した高齢者が陽性になったことから「オレらは我慢してるのになんでアクティブジジイとババアは遊びまわってるんだ！」との不満が出た件）

＊

〈新型コロナウイルス感染拡大の影響により、大人数が集まるイベントの自粛が政府から要請されている。次々とイベントが中止・延期となっているが、その影響を大きく受けているのがライブハウスだ。大阪の複数のライブハウスで「集団感染」が確認

されたこともあり、「密閉しており換気が悪い」「狭くて人と人が密着している」など、そのリスクも大きく報じられている。

そんな中、ライブハウス側も、感染対策として、無観客で生配信をするなどの手を打っている。3月16日にライターのヨッピー氏と編集者の漆原直行氏とともに、東京・新宿のロフトプラスワンで無観客生配信を行ったネットニュース編集者の中川淳一郎氏が、その日の様子を振り返るとともに、ライブハウスの窮状をライブ関係者に聞いた。

☆

その日のテーマは「新型コロナ禍とインターネットと日本人」というもので、最近の世の中に関する違和感を語りました。冒頭では、ロフトプロジェクト副社長で阿佐ヶ谷ロフトA店長である前川誠氏も登場し、窮状を訴えました。ライブハウスが今置かれている状況については後述しますが、今回の件でひとつ活路が見出だせたのは有料生配信についてです。

どうしてもライブハウスとなると、よっぽどの追っかけがいる人を除き、日本全国の人が観ることはできない。しかし、ネット配信にすれば、2000円として全国の500人が課金すれば100万円の売り上げになります。来客に飲食を提供したりする必要もないわけで、人件費も下げられます。これからのライブハウスは本格的に生中継に進出することも視野に入れておいた方がいいでしょう。

今回、我々は視聴無料でニコニコ生放送の「投げ銭」システムのみを収入源にしました。2000人以上が視聴したのですが、結局投げ銭の合計金額は2万円ほどです。当然ギャラはゼロで会場としても大赤字です。私もヤケになってビールを飲みまくり4500円ほど会場に支払いました。後から色々な人に話を聞くと「投げ銭をしたかったけどどうやってやればいいのか分からなかった」「一旦中継から離れて、クレジットカード番号を入れて、それで登録して、さらにどこからどうやって投げ銭を出せるのかが分からないし、私のIDとかが画面に表示されるのもイヤだったので投げ銭できませんでした」といった声もありました。課金のやり方については、やりやすいプラットフォームを使うのが良いのでしょうね。

さて、無観客ライブですが、やはりお客さんの反応や笑顔が見られないのが少し寂しかったですね。ニコ生のコメントがあれば、そこそこ反応は分かるのですが、そこかしこで酔っ払った人々がゲラゲラと笑っていたりしてこそ、演者としてはやる気が出ます。そして終わった後の拍手とか、終了後に少し客席に降りてお客さんと直接喋ったりするのも醍醐味です。「実は仕事の相談がありまして……」なんてオファーがもらえることもあるのですが、もちろんそれもなかったですね。というわけで、私としては早く全国のライブハウスに活気が戻る日を楽しみにしております。それではロフトグループ副社長・前川誠氏にうかがった話を紹介しましょう。

——ライブハウスは今、どのぐらいのダメージを受けているのか。ロフトグループでどれだけの売り上げが吹っ飛んだのか。無観客の割合はどれくらいか？　中止・延期は何割ぐらいか。

前川：店舗にもよりますが、中止・延期になったイベントは3月だけで3〜4割です。3〜4月の弊社全体での機会損失額は現時点で約7000万円と見積もっていますが、この状況が長引けば更に増えることが予想されます。インターネット配信を利用した無観客ライブは急遽スタートしたこともあり、直営店10店舗での開催を合わせてもまだ20本弱しか開催できておりません。

——ネット配信で売り上げは補填できているか？

前川：ありがたいことに有料配信のお申し出を少しずつ頂くようになって来ていまして、売り上げも通常のイベント以上に上がるものもあります。ただ、そもそも本数が少ないこともあり、各店の家賃など固定費を考慮すると、まだまだ厳しい状況です。

この状況が長引くことも予想されますので、インフラ整備や人材育成を急ピッチで進め、少しでも多くの配信が可能になるよう環境を整えている最中です。

――今、訴えたいことを教えてください。

前川：とにかく安倍首相が記者会見のたびに感染機会のある場所として「ライブハウス」と「スポーツジム」だけを名指しするのがどうしても理解できませんし、それに追随したテレビなどのメディアが、まるでライブハウスがウイルスの巣窟のような扱いをしているのが、とても悔しいです。

我々は現在、体調不良の方の来店禁止や消毒用アルコールの設置、店員のマスク着用、店内の定期的な換気などできる限り感染機会を減らす努力をして営業しています。もしこれでも問題というのであれば、ライブハウスだけではなく全国の「不特定多数の集まる場所」を一定期間閉鎖するなどの措置が必要になるのではないでしょうか。にもかかわらずそういった規制を一切せず、ただ「自粛」を求める政府の姿勢には強い憤りを感じます。あと、それに無批判に乗ってしまうメディアに対しても怒りを感じます。というか「〝自粛〟を〝要請〟」するって、どういうことなんですかね？

要請に応えてイベントを取りやめたところで、それはあくまで「自粛」なんだから勝手にやったことでしょ？　ありがとね！　で終わらせるつもりなのでしょうか。何

の補償もなく……？　昨今の自己責任論に裏打ちされている気がして、非常に嫌らしい言葉だなと思います。

そんな憤りとは別に、現在Ｔｗｉｔｔｅｒなどでライブハウスを救おうというご意見を目にすることが増えました。また、出演者の皆様からも有料配信へのご協力のお申し出をいただくなど、この苦境だからこそ皆様の温かさを感じています。「地下の閉鎖空間」ではありますが、それでも文化の担い手としての誇りを失わず、ありとあらゆる手段を使ってでも状況が正常化するまで生き延びたいと思います〉

どうだろうか。２０２０年3月16日のイベントの際に感じた空気感は、２０２３年3月16日でもまったく同じだったのだ。「感染対策をすればコロナは抑えられる」という神話が幅を利かせた3年以上、結局、ウイルスが原因の陽性者数は人間の対策を嘲笑うかのように増減を重ね、第8波までいった。２０２３年夏は「第9波」と言われた。コロナウイルスなんて、本当は人間の力で制御できる代物ではなかったのである。あなたの周りにコロナで亡くなった方はいたか？　いたとしても1人〜数名だろう。そしてその方々は高齢者だろう。寿命が来たのだ。

口コミで広がった「陰性にしてくれる病院」

初期の頃、水際対策の重要性が叫ばれた。中国人が悪い、ということになり、箱根の駄菓子店は２０２０年1月17日に「中国人入店禁止」の貼り紙を掲出。この頃から「外国人は感染源」というイメージが定着する。そして、春になる頃には「都会人が感染源」となり、「県をまたぐ移動の自粛」を各地の首長が要請した。

だが、そんな人間の対策を嘲笑うかのようにウイルスは県境を越え、国境も越えた。それでも一度始めた水際対策をやめることへの反発は強く、日本は２０２３年に入っても延々対策を続行する。あたかも「これまでの努力が無駄になる」とでも思っているかのように。水際対策を強化すれば支持率が上がることを２０２２年12月に覚えてしまった岸田首相は、もうやめられなくなってしまったのだ。

この水際対策の茶番性をつくづく表しているのが、陰性証明がはっきりいってザルだったことにある。私の妻は２０２３年3月末に一度タイから日本へ仕事のため帰国したが、この時、日本人御用達のバンコクの病院へＰＣＲ検査のために行った。この時はキャンペーン期間中で、本来、検査費用は７２００円するはずだったが、６０００円だった。朝、検査をすると夕方までには結果がメールで送られてくるが、なんと結果は自分で記入するのである。病院で記入用紙を獲得しさえすれば、公式文書として結果がどうあれ陰性証明書になってしまうのだ。タイの病院も「あそこはザルだ」という評判が立てば客がたくさん来ることをよく分かっているのだろう。

日本人駐在員や出張者も多いものだから、口コミで評判が広がることを期待している。「あそこは陽性になりやすい」という評判よりも「あそこは陰性にしてくれる」という評判の方が圧倒的に病院にとっては良い話だろう。何しろ日本政府による無駄な要請に付き合うだけでガッポガッポ稼げるのだから。

私は2023年5月8日に日本へ帰国した。この日をもってワクチン3回接種ないしは陰性証明提示という水際対策が終了することが発表されていたからだ。この報道があった3月下旬はラオスにいたのだが、海外放浪は長期戦を覚悟していた。もう「コロナ恐怖依存症」のようになってしまった日本人は変われねぇな……という諦めがあり、2024年まで続く可能性もあると思っていた。

となれば、5月7日にタイのビザが切れるため、その後再びラオスに行くしかない。そう思っていた時の5月8日の水際対策終了ニュースである。さすがにこれは覆さないだろうと思い、8日の0時台のバンコク発のチケットを購入。しかし、ここから話がおかしくなってくる。4月28日、突如として「4月29日から水際対策撤廃」のニュースが出たのだ。

この時はぶっ飛んだ。恐らく、GWが開始し、その数日後から続々と日本人が帰国し、海外からも多数の観光客が来ることとの大混雑に、もう各空港が「耐えられない！」と声をあげたのだろう。また、水際対策の存在を知った外国人が「そんな国には行かない」とキャンセルしたことも影響したかもしれない。実際、外国人からはその話を聞いた。「だからオレは日本旅行の代わりにタイ旅行に来たんだ」と。

元々政府は水際対策の終了は4月28日でも5月8日でもよかったのである。なんなら2022年2月に欧米各国と足並みを揃えてもよかったのだ。あくまでも日本は「空気感」を重視したのだ。そこには科学も何もあったものではない。空気を恐れ続けていたら別に2030年1月1日終了、でもよかったのである。

とにかく注意が大好きなダサい国に成り下がった

第1章や第2章で「過剰アナウンス大国」について書いたが、日本という国は本当に貼り紙と注意も大好きである。完全に人々の行動に対し、事前に予防線を張り、「事前に言っていましたよね」と言いたいのである。さらには、コロナでマスクを強要する施設に異議を呈すると「ルールはルール！」「施設管理権があるから施設のルールを守れ！」の反論が殺到した日本人にとって、注意と貼り紙とは水戸黄門の印籠のようなものである。

まずは、３つの注意書きだらけの事例をネット記事から挙げてみる。

〈「ベビーカーご遠慮」「席でオムツ替えない」 イタリア料理店「子連れ客12のお願い」賛否…店が方針変えない理由〉（２０２３年３月31日・Ｊ-ＣＡＳＴニュース）

「お子様連れのお客様へ　当店ではお子様連れのお客様も歓迎しておりますが以下の注意点を守っていただくようお願いしています」と同店の貼り紙の前置きには書かれてある。

そして、記事では、以下12項目が紹介された。

「ベビーカーの入店はご遠慮ください」

「店内を歩かない・走らない・席の上に立たない」

「トイレは大人と一緒に」

「大きな声を出さない（泣きやまない時は一度外へ出てあやしてください）」

「故意に物音を立てない（椅子を蹴る　食器やテーブルをたたくなど）」

「動画やおもちゃの音は最小限に」

「お店のもので遊ばない」

「飲食物の持ち込みはご遠慮ください（離乳食はお声かけいただければＯＫです）」

「ゴミはお持ち帰りください」

「席でオムツを替えないでください」

「席をご利用になる場合は１オーダーお願いします（予約時は１ドリンク１オーダー）」

「席や床を汚した場合はお声がけください」

そして「以上の事が守られない場合言い聞かせても改善されない場合はスタッフよりお声かけさせていただいております」とある。記事によると、方針に合わなければ利用しないでいいが、拒否することはしたくないし、親御さんへの愛情から決めたことと店主は述べている。

ただ、ここまで言う必要はあるのか？　店主の言い分は分かるが、正直、これら12項目は常識の範囲内であり、飲食店に小さな子供を連れて行く場合は親がそもそも理解すべきだし、店にここまで言わせる必要もない事項である。「注意書きがないからオムツを替えたんだ！」などと居丈高になる非常識な客が過去にいたから、このような12項目を掲示せざるを得なくなったと考えられる。

公園で遊ぶ子どもは「騒音」とみなされるこの国

そこまで非常識な客がいたことに辟易したのだとすれば、店に対して私も同情する点はあるが、次の2つの別件については完全に同意できない。日本がいかにバカかを示すことである。

〈まんのう町の交流施設　来月から子育て世代向けの設備を撤去へ〉（ＮＨＫ　ＷＥＢ　２０２３年３月18日）

コロナ禍の公園には「使用禁止」テープが張られた。遊び場はますます減っていく。

これは、香川県まんのう町の「ことなみ未来館」という施設で、管理受託者が代わることに伴い、子供・その親向けの設備（おもちゃ類など）が撤去されるということだ。記事では〈関係者によりますと、一部から『子どもばかりが集まり、高齢者が使いにくくなった』という指摘も寄せられていたということです〉ということで、要するに高齢者が「子供のためのモノばかりで我々には使いづらい」とクレームをつけたということだ。そして、受託者が代わったことで「高齢者優遇」に変わったということである。そして続いてはこの記事である。

〈「サワガナイ」「ボールアテルナ」注意書きだらけの児童公園「異様な感じ」招いたワケ〉（西日本新聞電子版　2023年4月4日）

この記事を見ると、児童公園にはタイトル以外にも「ごみを捨てない」「ボール遊びをしない」「大声を出して騒がない」、滑り台やベンチには「サワガナイ」、植え込みのブロックには「ノルナ」「ボールアテルナ」、あずまやには「大声キンシ　ケイサツニツウホウ」「ゴミステルナ」など、記者が判読できるだけで67点あったという。自治会長は、ポイ捨て等のマナーの悪さに苦しんだ結果の貼り紙だと説明し、〈「うわべだけ見て『やりすぎ』と言わないでほしい」と反論した〉という記述もあった。

昨今「子供の声がうるさい」という理由から保育園設置に反対する住民が存在するニュースも時々出るが、これはもう「お互いの立場」としか言いようがない。子育て世代からすれば「じゃあどこに通わせればいいの？」となるし、住民は「静かな環境のつもりで家を買ったのに騒音に悩まされる」と言いたくなる。

どちらにも言い分はあるのだが、「子供に対しては寛容になってもいいのでは……」と私などは思う。子供がいる身分ではないが、日本の将来を考えれば子供達がすくすくと育つことが重要なわけであり、年長者としてはもう少し寛容になってほしいものである。

「クレームした者勝ち」のゆがんだ社会

「過剰アナウンス大国」の話に戻るが、繁華街は常に悶絶のアナウンスがあり、地方都市でもやたらと防災無線からのアナウンスは多い。選挙期間とでもなろうものなら、候補者が選挙カーで大絶叫をし、騒音以外の何物でもない。

子供の声に反対する高齢者が、自身が支持する候補者の選挙カーや日々の防災無線からのアナウンスにもクレームをしているのであればそれは筋が通っていると言えよう。だが、恐らくそうではない。あくまでも「自分に利益がない騒音（と感じるもの）」に文句を言っているのだ。

「私は迷惑を受けた！　これはやめなさい！」と主張することにより、「社会全体としてのメリットは無視していいのか？」という話になる。公園の話にしても、共同生活を送るうえで、子供達の声というものは仕方がない面はあるし、将来を考えても許容すべきだと個人的には考える。だが、徹底的に日本はクレーマーが強い社会であり、そのクレーマーと対峙する役人や従業員はその人間からの連日に及ぶ苛烈なる攻撃に折れて注意書きをし、そのクレーマーに不快感を与える（当たり前の／許容するべき）存在を排除するのだ。

これが日本が衰退する大きな原因の一つである。「全体最適」の考えが一切なく、「クレームした者勝ち」がまかり通るのだ。さらに「その場にいる一番バカに合わせる」も問題だ。コロナ騒動でマスクを全員にさせようとしたコロナ脳しかり、すべての従業員がワクチンを打たなければ感染爆発すると考えた施設しかり、である。これらは完全に「感情」の話であり、科学とは乖離（かいり）しまくったものである。

これは非常に日本をダサくする根源であり、要するに「サービス受益者のレベルが低すぎて、『お客様は神様です』を信じるバカを優遇し過ぎる」ことにある。前記のような施設・店を作るのは、クレームをつける低民度の人間がそこそこの割合でいるからだ。それら低民度の人間をビシッと排除できないから日本は息苦しい社会になり、「クレーマー大国」になるのである。

先日、飲食店の口コミサイトで奇妙なクレームを見た。ミシュランの星付きの店を予約していたところ、電話口でお酒を飲まない未成年は入れない旨を伝えられたのだという。だが、子供も連れて行きたいため、予約をせず、子供を連れて行った。しかし、店の外で店員から訝し気な顔をされ、店に入ろうとすると未成年禁止と断られた。結局、この書き込み者は、報復のため口コミサイト「食べログ」に最低評価の「★一つ」をつけた。その根拠は以下の通りである。

〈お酒の店で仕方がないのは承知ですが接客態度と物言いが不快だったので星1です。帰りは近くの美味しい中華を食べて帰宅しました。万人に受け入れられなくても良いというスタンスの印象を受ける接客態度でした。これがミシュラン？〉

いや、基本的にミシュラン店は子供が入るような場所ではないし、食べてもいないのに接客態度と物言いが不快だったので★一つの評価をするか？

このレビューについては即刻運営側が削除すべき暴論であり、店に対する侮辱である。しかし、こんな非常識な連中でさえ、大企業を中心に甘やかした経緯があり、日本というダサい国ではこうした連中でさえ「お客様」と扱わなくてはいけなくなった。もっと店はゴーマンに「貧乏人のお前らのためにこちらはサービスを最上級にしてやってるんだ。イヤなら来るな」と言い放っていいぐらい、この国は劣化している。

国民とメディアのレベルの低さの相関性

メディアも質が低過ぎて、忖度が横行している。コロナ報道はその最たるものだ。とにかく「マスクは効果がある」「ワクチンはメリットがデメリットを上回る」を言い続けたため、その論調に偏った識者ばかり登場させる。決定打となったのは、2023年5月15日、NHK『ニュースウオッチ9』の最後に流された映像だ。コロナが5類に移行して1週間が経ったことを受け、「今夜はこちらの映像とともにお別れです」の一言とともに映像は開始する。コロナ騒動の象徴とも言える、クルーズ船ダイヤモンド・プリンセス号の現在の映像が流れて「戻りつつある日常 それぞれの思い」「私たちの3年あまり」とテロップが続き、男性の遺影が登場。「夫を亡くした河野明樹子」さんが「いったいコロナって何だったんだろう」というテロップが登場。続いて登場するのは「父を亡くした宮城彰範さん」で、同氏の発言は「5類になったとたんにコロナが消えるわけではない」「風化させることはしたくない」とのテロップになった。3人目は「母を亡くした佐藤かおりさん」で、「遺族の人たちの声を届けていただきたい」とのテロップが出る。

この1分ほどの映像は「コロナを風化させない」ために作られた映像なのだが、ここで登場した3人は「ワクチン接種により家族を失った」と主張する遺族なのである。このVTRと編集では「コロナで家族を失った遺族」に見えてしまう。完全に捏造だし、この3人に加え、3人が所属するワクチン被害者遺族会「繋ぐ会」代表の鵜川和久氏は激怒。鵜川氏は直後にツイッターで異議申し立てをした。翌日、NHKは番組で謝罪。だが、捏造を認めたわけではなく、「伝え方が悪かった」的にお茶を濁しただけ。取材依頼をしてきたディレクターは、「コロナで死んだ人の遺族」を見つけられなかったため、鵜川氏に問い合わせをしてきたのだ。NHKの判断としては「コロナ禍死の一部だからこれでよかろう」的なものである。だが、鵜川氏と遺族会は「ワクチン死」について取り上げてもらえるかと思い取材を受けたのに、まったく逆の形で取り上げられてしまったのだ。

その後、納得しない鵜川氏や遺族らはBPO(放送倫理・番組向上機構)に審議入りを申し立てし、7月21日、NHKは取材をした担当者ら4人を出勤停止や減給処分にすると発表した。その後もワクチン後遺症や接種後遺族の実態を報道することはなく、処分をすることで幕引きを図ったとしか思えない。そりゃそうだ。2年半にわたってワクチンの絶大なる効果とメリットと安全性を大本営発表を基に言い続けてきたNHKが、そう簡単に論調を変えるわけにはいかない。

日本の公共放送でさえこの体たらくだ。２０１４年、籾井勝人氏はＮＨＫの新会長に就任した際の会見で、慰安婦問題について「戦争地域にはどこでもあった」とし、さらに「政府が右ということを左というわけにはいかない」と述べていた。やっぱりただの大本営垂れ流しメディアなのだ。

件の動画は「戻りつつある日常」というナレーションとその頃のマスクを外した人が増えた風景の映像で終わる。完全に「マスクをはじめとした感染対策とワクチンのお陰で日常が戻りましたね。はい、次いこうか」といった形で、自らのこの3年4ヶ月の報道を正当化しようとしているようにしか私には感じられなかった。

これは歴史に残る！ 笑撃コロナ対策を振り返る

新型コロナをめぐっては本当にバカな対策が横行した。私がもっともバカだと思ったのは、高校野球である。なんと、球児の思い出となる「甲子園の土」はコロナ対策で持ち帰れないということになったのだ！　この土に対しては個々人の価値基準はあるだろうが、甲子園に辿り着いた証明として、持ち帰りたい球児はいるだろうし、友人や家族・親戚もそれを見て「うわー！」と言いたくなる気持ちはわかる。

仮に接触感染がコロナの感染源だとしよう（実際は空気感染が多数）。どう考えても甲子園の土よりも、水道の蛇口やらドアノブの方が危険である。実際、２０２１年１月、都営地下鉄の宿直施設でクラスターが発生した時は、歯磨き等をする共同の洗面所蛇口が感染源ということにされた。今考えれば無茶苦茶ではあるが、当時は東京新聞の電子版はこう報じた。

〈**東京都営地下鉄大江戸線が昨年末から今月11日まで間引き運行した原因となった運**

転土間の新型コロナウイルスの集団感染が、共同利用する庁舎の洗面所の蛇口経由で広がった可能性が高いことが14日、都交通局への取材で分かった。手をかざすと自動的に水が流れるセンサー式ではなく、手で回すタイプの蛇口だった。今後はセンサー式への置き換えを検討する〉

これはコロナ騒動開始から1年後の話で、当時は「そんな感じはするよなぁ〜、皆が一緒に使う場所ってココだもんな〜」と考えるのは分かる。だが、甲子園の土はまったく意味不明だ。ただ単に、球児達が声をあげ、汗をかいた場所にある土は危険、というイメージで判断しただけである。コロナについては本当にバカな対策が多過ぎた。

【マスク】呼吸ができる時点で、空気感染には効果がない
【県境を越える移動】ウイルスは県境など把握できない
【アクリル板】何やら防御しているように見えるだけ。空気感染においてこんなものはすり抜ける。しかも、テレビの場合、屋外のロケでも使用する間抜けさ
【ビニールカーテン】アクリル板と同様。コンビニ等ではただ互いの会話が聞こえにくいだけ

【おうち時間】２０２０年春の緊急事態宣言でしきりと使われた言葉。結局その時よりも甚大なる陽性者を出した２０２２年には一切使われない言葉に。要するに、過度に怖がっていた時の流行り言葉というだけ

【面会禁止】施設に住む高齢の親に会えない状態。残り少ない人生、家族に会いたいだろうに、「コロナがうつるから」という理由でその機会を失われた。死んでも遺体に対面できず

【帝王切開】陽性者、そして陽性者と濃厚接触した妊婦は、帝王切開での出産を強要された。もっと言うと、妊婦は出産時にマスクを着けさせられた

【黙食】元々は福岡市のカレー屋が始めたもの。デザイナー出身の店主が何を思いついたのかフリーダウンロードのポスターを公開。以後、全国の学校に広がった。給食の際は黙って食べるように指導されたが、その一方、大人は夜は居酒屋で大フィーバー

２０２３年９月、新学期が始まった後にインフルエンザ陽性者が増えると、黙食を再開する学校が続出した。相変わらずの責任逃れと「対策したよアピール」である。

同じく９月、早稲田大学の高橋遼准教授らが執筆した「学校給食時の黙食がＣＯＶＩＤ―19の感染に与える影響」という論文が登場。分析対象期間は２０２２年11月１日から２

023年2月28日で、千葉県内の黙食を継続した157校と見直した45校の学級閉鎖数と閉鎖率を比較。その結果、統計的に有意な差は出なかった。論文では「したがって、黙食によって学級閉鎖が抑えられるという考えを支持する強力な証拠は確認できなかった」と結論付けられている。

その他にも、「第二関節でエレベーターのボタンを押す」「エスカレーターのベルトはコロナがうつるから触ってはいけない」「電車の吊革はアクリル製のフックを使って使用」「電車に乗る時は窓を開け、座っている人からの咳を避けるため、椅子の前には立たない」などがあった。

マスクで笑顔が見えないから、とマスクに笑顔の口をプリントしたものが作られた。食事の際はアクリル板で作ったしゃもじのようなものを口の前に当て、喋る際に飛沫が相手にかからないようにする。星野リゾートは「提灯会食」を発案。コース料理を食べるにあたり、客は巨大な行灯（提灯型の透明なパーテーション）の中に入るのである。

極めつけのバカが学校である。前述「黙食」はさらにエスカレートし、「15分以上マスクなしで過ごした」ことが濃厚接触にあたることから、14分で給食は終了。とにかく学校でクラスター認定を受けたくないため、「15分以上」をクリアすることが何よりも重視され、時間内に食べられる「簡易給食」なるパンとヨーグルトとジュースだけ、という粗末な給食をもたらした。

　授業参観では、保護者は教室内に入れず、廊下に置かれたテーブルの上に乗っかり、高い場所にある窓から顔を出して授業を見る。修学旅行は「リモート修学旅行」と題され、生徒が体育館や教室に集められて観光地でガイドが案内する様を見るのであった。リモートが終わったとしても、バスの中ではマスク着用で会話厳禁。食事はパーテーションで仕切って個食。夜は大部屋で各人の布団と布団の間にパーテーションを置いて、睡眠中の感染を防ごうとした。

　そしてすさまじかったのが運動会だ。玉入れは「玉は４個まで」だったり、組体操は接触するということで「組まない組体操」をした。組んでこそ筋肉と体幹を使うものなのだが、組まないため、ポーズを取るだけなのである。そして、リレーは「２メートルのバトンを使用」というものもあった。『虚構新聞』というニセニュースしか掲載しないウェブメディアがある。同サイトに「２メートルのバトンを使用してリレー」という記事が出ていたのだが、その後、実際に相模原市の小学校が２メートルのバトンを使ってリレーをしたのである。果たしてこの学校の教師が虚構新聞を参考にしたのかどうかは分からないが、この競技は実施された。虚構新聞は事実を掲載してしまったということでお詫び文を掲載した。

コロナをめぐる日本のダサさは無限にあるため、この辺で一旦終わりにするが、「リスクゼロ信仰」「誰かに迷惑をかけたくない思想」「命は地球よりも重い思想」「1秒でも長生きするのが幸せ思考」「安全・安心第一・自由はその後思考」「もしも何かがあったら責任取れないよー思考」「もしも何かがあったらあなたは責任取れるんですか！　安全策を講じるべきです思考」により、日本は世界ぶっちぎりの人口あたりのワクチンブースター接種を達成し、永遠にマスクを外さなかった。めでたしめでたし。もうマスクを民族衣装にしておけばいい。

太平洋戦争、ワクチン……安全バイアスの罠

とんでもない状況になった時、「見なかったこと」にして、「安全である」とのバイアスがかかるのが日本の日常風景である。そして、やたらとメディアを信じるダサ過ぎる国民性である。

太平洋戦争がその最たるもので、朝日新聞や毎日新聞が連日大本営発表を垂れ流して日本が戦争に勝ち続けていると喧伝した。戦果を強調し、無謀な戦争が正しい判断だったということを国民全体に押し付ける。本当は負けているにもかかわらず、勝っているかのように報道し、戦争をすることがいかに日本の発展のために役立つかを洗脳した。反対する者は「非国民」扱いをした。いや、金属類が足りないから各家庭から鉄鍋まで回収したり、B29を落とすために竹槍訓練をして勝てると信じる方がおかしい。終わってみたら「勝てるワケがなかった……」と多くの人が分かるわけだが、その時に登場するのが「鮫島伝次郎」である。

この人物が何かといえば、広島の原爆投下を描く漫画『はだしのゲン』に登場する町内

『はだしのゲン』
中沢啓治・著（汐文社）

会長である。広島に住むゲンたち中岡家は父の教えもあり、戦争には明確に反対していた（非国民扱いをされるのがイヤな長男以外）。父親は竹槍訓練等にも参加を拒否し、それでも参加する場合はバカにしていた。そして中岡家は「非国民」扱いされるのである。鮫島は、町内会長として戦争への協力を推進し、中岡家にも強要し、主人公・ゲンの父親が従わないことを苦々しく思っている。原爆が投下された後、鮫島家は破壊され、伝次郎と息子は家の下敷きになる。そこにやってきたゲンに助けられる。

それから数年後、伝次郎は市議会議員に立候補して、以下の演説をする。以下、コマのセリフを再現する。たまたまゲンがこの講演会をやっていることを知り、中に入った時の流れだ。

「ゴホン。わたくし鮫島伝次郎の新春放談にかくもにぎにぎしくおあつまりいただき感謝いたします。

さて、わが日本は激動と混迷と悲惨な時代をむかえております。

わたくし鮫島はすでに太平洋戦争がはじまった時点で、このような時代がくることは予期いたしておりました。

わたくしは戦争反対を強く叫びとおしておりました。

日本は戦争をしてはいけないと固くしんじていたのです。

しかるに日本の軍部のばかどもは、かの偉大なるマッカーサー元帥のいられるアメリカ合衆国とイギリスに戦争をふっかけてしまったのです。

わたくしは悲しかった。平和の戦士、鮫島伝次郎、胸が張りさける思いでありましたグスン。

わたくしはだんこ戦争反対に立ち上がり、必死でたたかってまいりました。

終戦となってやっとわたしの時代がきてくれたとよろこびにたえません。

わたくし鮫島伝次郎は市会議員に立候補いたし、当選のあかつきには一命をとし、この広島市の復興を平和の鬼となってやりとげる決心であります」


この後、鮫島は「アワアワ」と汗をかく。その先には、ゲンがいたのだ。そしてゲンとはこのような会話になる。

「おっさん、はよう演説せえや」

「お、おまえ、生きていたんか」

「バーカ、かんたんに死ねるもんかっ。おっさんは調子のええやつじゃのう。

鬼畜米英とさけんでいちばんよろこんで戦争に参加していたのに……。

さんざんわしらを非国民といっていじめやがって。

日本が戦争に負けると、こんどは戦争に反対していた平和の戦士か。つごうがええのう」

「ウッ」

「おっさんは大きなつらをして人前に顔をだすな。おっさんみたいなええかげんなやつが
市会議員になったらなにをするかわからんわい」

「だまれっ、だまれっ。

みなさん、鮫島伝次郎はウソをもうしません」


この後は「はやくこいつをつれだせ」となり、ゲンは会場から追い出される。

鮫島伝次郎という男は、現代にもいる。2020年1月に発生した新型コロナウイルス騒動においてマスクをしない者・ワクチンを打たない者を「公衆衛生の敵」と罵倒したタイプがコレである。だが、結果的にどれだけマスクをしても、実数として世界最多の陽性者数を達成したし、ワクチンを打っても陽性者は増え続けた。「他人が感染しないために打て」という「思いやりワクチン」はウソだったのだ。少なくとも日本においてコロナについては「気にしない」が最適解だったのだが、マスクとワクチンを含めた感染対策真理教ともいえる人々は2023年5月8日以後は鮫島伝次郎化した。6月、RSウイルスに感染する子供が増えた時、「この3年間の感染対策がこうやって免疫を弱くしたのだ」などと言いだしたのだ。

マジで「どの口が言うか」である。散々感染対策を強要して、コロナとは別の感染症にかかる子供が増えたら「これまでの過剰対策が影響した」と言う始末。しかも、これもただ単に思い付きを言っているだけである。コロナ対策でも思い付きばかりを言っていた医者連中が、その後の感染症でもテキトーなことを言い続けているのだ。そして8月以降、陽性者数が増えたら「第9波は大変なことになる。医療崩壊だ。マスクをし、ワクチンを打つべき」とメディアに出演する医者は言う。

日本テレビは9月11日、『インフルエンザ「流行中」　初の事態…収束しないまま〝新シーズン〟に　実は冬だけの病気じゃない？』（日テレNEWS）というニュースを配信。「インフルエンザで学級閉鎖」と画面の上には書かれてある。その下に、「日本学校保健会保育所・幼稚園・学校など約4万のうち」とあり、「今月1日　42クラス↓きょう　136クラス」と記した。いや、この「4万」が「施設数」なのか「クラス数」なのかは分からないが、仮に「施設数」だとしても0・34％。クラス数であれば、ここからさらに激減する。42と136であれば「3倍以上かよ！」と驚くが、母数がデカ過ぎるのに深刻さを煽るのだ。

当然ここにも医者（笑）が登場しているが、この人物の思い付きの感想をありがたがって流すメディア。本当に恥の国であり、世界一のダサい国だ。メディアは「専門家が言ったから……」とこの手の根拠レスな発言を垂れ流す。専門家とされるペテン師も「その可能性があるからそう言った」と言う。厚労省も「製薬会社やWHO（世界保健機関）はこう言っています」と言うだけ。すべて責任を取りたくない自己保身だらけの連中が国を牛耳るのが日本。徹底的にダサい国だ。呆れ果てた。極力この国の意思決定には携わりたくないと思った。指示待ち人間だらけの職場、権威に従うメディアと国民、バカな教師に従う学校、クレームした者勝ちの社会――異常な国である、ＪＡＰＡＮ。Ｆｕｃｋ ｙｏｕ ＪＡＰ．

「空気」に支配された日本人
―あとがきにかえて―

こうして日本のダサさについて書いてきたが、この「あとがき」を書いている日の2日前、阪神タイガースが18年ぶりのセ・リーグ制覇をした。阪神ファンとして心から嬉しかった。しかし、在阪メディア以外の関心は「優勝した直後、道頓堀川に飛び込む人々と警察の対応」であった。そんなものは報道しないでいい。「落ちるなよ」と注意喚起するのではなく、現場で待機する警察官が対応をすればいいだけである。報道が過熱することが分かっているから目立ちたがりが大挙するのである。

話は変わり、「ピンク帽子さん」というネットの一部で有名な人物がいる。2018年8月8日、台風13号が接近する中、JR新宿駅南口でピンクの帽子をかぶってリポーターの後ろに立ち、テレビカメラに撮られようとする。カメラマンがカメラを別の方向に向けてもそちらに素早く移動し、なんとか映ろうとする。カメラマンと同氏の攻防はこの日、様々なニュース番組で行われた。後に同氏は「ゆうかん」というニックネームであることを明かし、『月曜から夜ふかし』(日本テレビ系)に出演したりJ-CASTニュースの取材を受けるなどした。そして現在は『【映り込み系YouTuber】ゆうかんちゃんねる』を運営している。これも「台風が来ると新宿駅南口にテレビカメラが来る」ことが分かっているからの行動だ。

ハロウィンや、FIFAワールドカップで日本が勝利した時の渋谷スクランブル交差点の大騒ぎとDJポリスの登場も、構図は同じである。メディアが騒ぐから人がやってくるし、その場所は「騒いでもいい場所」というお墨付きを勝手に皆が共有し、他人の迷惑お構いなしの一体感を醸成する。結局、誰かから「空気」を作ってもらえないと行動ができないのが日本人なのだ。

そして、その行動原理は「他の皆もやっているから」。そういった意味で「ピンク帽子さん」は立派である。同氏は自分の頭で考えてやっているし、全国に中継されて顔がバレることも恐れていない。ただし、ピンク帽子さんを模倣し、「青帽子さん」「赤帽子さん」「黒帽子さん」などが続々と新宿駅に登場したらこれは相当ダサい。ピンク帽子さんにただ乗りしているだけである。なお、同氏の行為自体は緊急の報道の際の悪ふざけなので共感はしない。あくまでも同氏の考え方と実行力に共感するだけである。

「多様性が重要」は建前だった！

本書で多くのページを割いたのは新型コロナウイルスにおける日本人の行動と考え方についてだが、道頓堀川も渋谷スクランブル交差点の件と似ていないだろうか。

「みんなが飛び降りるから飛び降りる&周りも仮装しているから自分も仮装する⇒みんながマスク着用するから着用するしワクチンも打つ」

「ここは騒いでいい場所というコンセンサスがある⇒飲食店で席に着いたらマスクを外して楽しく会話していいというコンセンサスがある」

という2点においてだ。

金子みすゞは「みんなちがって、みんないい」と言った。教師・上司・著名人・メディアは「粒揃いより粒違い」「多様性が重要」「個性を活かす社会」「一人一人の考えが重要」と言いがちだ。だが、コロナは見事なまでにこれらが建前であることを露呈した。結局、五人組時代に始まり、戦前・戦中と変わらぬ全体主義国家だったのである。それも明確に権力が法律や罰則を駆使して全体主義を押し付けてくるのではなく、「空気」によって国民が勝手に一つになっていく。

何しろ本音よりも建前が重視されるのだから、これらのようなキラキラした言葉について「一人一人の考えが重要、と言ったじゃないですか！　話が違います！」と反論しようものなら、「お前は真の意図が分からないのか。察しろ。空気を読め」と異論は封殺される。

そんな前提があったうえで、「もうどうにでもなれ、このダサ過ぎ国家め」と心から思った出来事がある。2023年9月14日、尾身茂氏ら政府分科会メンバーだった専門家が日本記者クラブで行った会見だ。尾身氏の発言に対してもそうだし、それに対するバカな一般人の反応を見てのことである。尾身氏は基本的には「私はこの困難な状況を必死に頑張り、苦労をした。国民の皆さんは頑張った」的な趣旨のことを言い、一般人からは「お疲れさまでした」「尾身さんのお陰でこの程度の被害で済みました」「尾身さんが陣頭指揮を執ってくださってよかったです！」とねぎらいと感謝の言葉で溢れたのだ。

尾身氏が理事長（当時）を務める独立行政法人・地域医療機能推進機構（JCHO）は2020年、コロナ補助金などで311億円以上の収益増となった。「幽霊病床」があったにもかかわらず、である。有価証券での運用額は685億円で、2019年より130億円増加。患者を助けるための病床確保のための補助金を投資に使っていたのだ。これに対して「ぼったくり」と批判を浴びたが、尾身氏は自身のインスタグラムにおけるライブでそのことを認識しているとしながらも、言い訳に終始。その後、この件については言及せず。ほとんどのメディアも追及しなかった。

そんな人物を賞賛し、感謝するとはなんという素直というかお人よしというか、疑うことを知らないというか……。結局、権威が言ったことは何でも正しい、というマインドに日本人はなるのだ。私のような天邪鬼（あまのじゃく）は「大多数が同じことを言ったら怪しい」という考えに立って日々生きている。

身近なところでは2018〜2019年のタピオカミルクティーブームがある。あの頃、タピオカドリンク屋には長蛇の列ができた。インスタ映え（死語）するからと人気だったらしい。単なる澱粉（でんぷん）入りの甘過ぎる高カロリードリンク、しかも原価の割に高過ぎるものの何がいいのかまったくわからず一度も飲まなかった。AKB48ブームの時も、アイドルとの握手会やらCDを買うことで総選挙に参加することも冷めた目で見ていた。ドラマ『半沢直樹』（TBS系）がいくら視聴率が高かろうと、見る気にはなれなかった。これらは別に頭から湯気を立てて怒るべき対象ではないのだが、これらを好きな人間とは合わないな、というリトマス試験紙にはなっている。

まずはこの前提を述べたうえで、コロナ脳から絶賛された尾身氏の会見だが、「100年に一度といえる危機だった」「感染症が社会や経済全てを巻き込むことが分かった」と発言。そして、会見の頃、メディアと医者とコロナ脳が大騒ぎしていた第9波について「全国的にまだピークに達していない」と述べた。当然、メディアはこれらの発言を大々的に報じ、「コロナは終わってないぞ！　気を引き締めろ。マスクしてワクチン打て！」という論調を作り出すことに躍起になった。

会見があった9月14日は、10匹のマウスに対してファイザーが治験を行ったXBB.1・5対応ワクチン接種開始の6日前である。ワクチン接種に誘導したくてたまらないんだろうな～、と尾身氏の会見、そして第9波の深刻度とインフルエンザ流行、学級閉鎖を懸念するテレビニュースのキャスターと出演医師の姿を見て感じた。そして「またいつもの風景がやってきた」と暗澹(あんたん)たる気持ちになった。過去に8回やって意味がなかったことをなぜやるのか？　日本人は「このやり方は間違いだから変更しよう」という考えにはならず、「対策がまだ緩いからもっと強化すれば効果が出るはずだ」という発想になる。

山本七平が指摘した日本海軍の失敗の二の轍

完全に山本七平氏が『日本はなぜ敗れるのか―敗因21ヵ条』（角川ｏｎｅテーマ21）で

述べたバシー海峡の話と同じである。日本海軍は台湾とフィリピンの間のバシー海峡を船で通過し、戦地へ赴く作戦を立てる。だが、哀れ、船は沈められる。そこで作戦を変更するのではなく、兵士が密集したポンコツ船を再度繰り出し、バシー海峡を目指す。米軍はまたしてもこれを沈没させる。日本はこの作戦をやり続けるが、米軍からすれば、バシー海峡を通る日本海軍の船を待って砲撃すればいいだけなのだからこんなラクなことはない。

しかし、日本海軍は「もっと船を送れば勝てるはずだ」と同じことをやり続けるのである。10万〜26万人が犠牲になったとされるが、日本海軍の作戦ミスによる大虐殺である。

山本氏は同書で最重要要素がバシー海峡だと述べるが、コロナでも構図は同じだった。

尾身氏を司令塔としたコロナ対策チーム及びメディアに登場する専門家・ツイッターの医クラ(医療クラスタ)は、人流抑制・時短・マスク・ワクチンを徹底すればコロナに勝てる(撲滅できる)と考えていたのだ。同じことをやり続けた結果が第8波で、第9波でも同じことが必要だと主張する。いつまでやる気か。このままじゃ人類が死に絶えるまで波は続き、最終的には第2万567波とかになるかもしれない。

9月14日の会見に先立つ8月29日、尾身氏は官邸で岸田首相に会った後の囲み取材で、「感染症に強い社会を作る必要がある」と述べた。この日の同氏の発言を受けニュースサイト『ABEMA TIMES』には『「思い出がありすぎる」コロナ政府分科会退任の

尾身茂氏 岸田総理から〝ねぎらいの言葉〟』という記事が登場。思い出？ あぁ、子供や若者、そして寿命の短い高齢者の思い出を奪っておいてあなたは思い出がいっぱいですか。その後、この記事はなぜか削除されたが、9月14日の会見と合わせ、尾身氏の発言がいかに絶望的かを最後に書いてみる。

本書で何度も指摘しているように、「新型コロナウイルス禍」というものは、専門家がしゃしゃり出て詳しいことは分かっていないのにその脅威を解説し、メディアが恐怖を煽り、そして大衆がパニックになった騒動である。そして専門家はいつしか政治家のようになっていった。

2022年1月に政府が発出した「マンボウ」だが、これについて多数の記事が出た。NHKのウェブ版には『「まん延防止措置」適用地域に13都県を追加 分科会が了承』、他のメディアも軒並み「分科会が了承」とある。つまり、政治家が専門家にお伺いを立て、政治判断がなされたという意味である。これは一線を越えている。

尾身氏がこの3年以上を振り返った2回の状況で、同氏は当然マスクはしていない。2019年夏と2023年夏、何が変わったのか？ 人間の基本的営みは変わっていないのだ。阪神優勝時の道頓堀川周辺の大混雑、そして甲子園のマスクなし大応援。スーパーのレジでもビニールカーテンは撤去された。補助金の条件だった飲食店のアクリル板は、補助金が出なくなったら捨てられた。変わったのは人々の気持ちだけだったのだ。そして、その気持ちを煽ったメディアは過去の論調を変えられないドツボに陥っている。

9月に入ると「学校が始まったからインフルエンザが増えた」という報道が出た。学級閉鎖は9月1日は42クラスで、9月14日は446クラスになった。再び医者はテレビでマスク着用や黙食の復活を訴えた。『報道ステーション』(テレビ朝日系)は「2週間で10倍に」と大騒ぎ。

だが、2016年にインフルエンザ陽性者が1週間で200万人となり、全国6285の学校が休校になった時、ここまで騒いだだろうか。マスク着用と黙食など求めていなかった。「体調不良の者は休め」と言われた程度である。

尾身氏をはじめとした専門家とメディアと政治家は、感染症を過度に恐れる社会を作り出してしまったのだ。同氏が囲み取材で話した「感染症に強い社会を作る必要がある」は、本当は「感染症対策禍に強い社会を作る必要がある」であるべきだったのだ。

しかし、それはもう無理だ。日本人は「ウイルス」「感染症」「飛沫」「密」「濃厚接触」という言葉を極度に恐れるようになった。かつて「口裂け女」がブームになったが、その時「ポマードポマードポマード」と言えば口裂け女は逃げていく、というバカげた都市伝説があった。今の日本人も同じだ。「ウイルス」「感染症」「飛沫」「密」「濃厚接触」の5つの言葉のどれかを言えばマスクをして走って逃げていく。

100年に一度の危機を煽って誰が儲かったのか

3年10ヶ月にも及んだ異常な期間は、おかしな風潮を生みだした。5類化前は少しでも熱が出たり喉が痛いと発熱外来へ行き、検査を受け、陽性だと軽症でも隔離されたり入院させられたりした。5類化後の9月、とある漫画家がツイッターに39・8℃の熱が出たため救急車を呼んだことを投稿。その後、コロナ陽性であることをその投稿に連なる形で報告した。これに対するコメントの大部分は「お大事になさってください！」というものだった。

コロナ以前、39・8℃の熱が出たら救急車を呼んでいただろうか。この漫画家の39・8℃というのは相当高いが、同氏以上に恐れる人間は37・9℃とかでも救急車を呼ぶメンタリティになってしまったかもしれない。この手の人々はマスクをしない人々を「お前らのせいで医療逼迫（ひっぱく）が起きるんだ！」と非難してくるが、違う。お前らが過剰反応するから医療逼迫が起きているんだよ。

こう考えると当初意図していたかどうかは分からないが、コロナの恐怖を煽れば煽るほど、患者を増やすことができ、医療機関が儲かるということに経営者は気付くことだろう。となれば、メディアに出る医者も深刻そうな顔をして「コロナはまだ終わっていない」「引き続きマスクの着用とワクチンの接種を」「コロナ後遺症が心配。だから対策が重要」と言えば、ビビった人々が病院に来てくれる。もはや強迫観念の域である。

尾身氏の「100年に一度といえる危機だった」は、「100年に一度といえる危機を作り出し、我々はスポットライトを浴び、感謝され、そして儲かった」「100年に一度といえるカンセンタイサク禍」ということである。そして「全国的に第9波はまだピークに達していない」と言えば、まだまだ恐怖は煽れる。

国民皆保険制度は医療機関にとっては打ち出の小槌(こづち)である。国民、特に若年層は医療に滅多にかからないにもかかわらず、高齢者のために強制的に徴収され、1割負担の高齢者に恩恵を与えてきた。これにコロナ脳という、若者も含んだ年齢を問わぬ患者も加わった結果、今後社会保険料は増額され、医療関連予算が膨大なものになるだろう。結果的に、コロナ騒動というものはここまで見事なシナリオで、患者を激増させるものだったのだ。

どれだけの医師がカネと名誉と注目のためにこの騒動を扇動したかは分からない。本気でコロナが恐怖のウイルスであると信じ、マスクとワクチンが絶大なる効果を持つと考えている学習能力皆無の医者もいる。どちらもタチが悪いが、いずれのタイプの医者であろうともバカな国民は信じ込み、コロナを恐れ、そして日本は財政破綻へと向かっていく。

尾身氏の「感染症が社会や経済全てを巻き込むことが分かった」発言は、「今さら何を言ってるんだ?」としか思えない。そんなことも知らずに日本におけるコロナ対策の陣頭指揮を執ったというのか! 尾身氏のこの発言を受け、スウェーデン在住の医師・宮川絢子氏は、「ノーガード戦略」とも言われたスウェーデンについてこうツイートした。

〈尾身氏はパンデミックを経験して学んだようだが、テグネル氏は当初からこれが分かっていた。この差は大きかったと思う〉

アンデシュ・テグネル氏はスウェーデン版の尾身氏とも言える人物で、この新型コロナウイルスの撲滅は無理だと分かっていた。だからこそ、過度な感染対策を国民に課さなかったのである。2020~2021年の途中までスウェーデンとテグネル氏は世界中から非難されていたが、今となってはこのやり方が正しかったと捉えることもできる。

というのも、EUにおける2020年から2022年の超過死亡率は、スウェーデンが最低である。1位はブルガリアの19・8%。中欧諸国が上位に来ているが、G7の国ではイタリアが12・3%。フランスが9・2%、ドイツが8・6%。スウェーデンは4・4%

である（スウェーデン統計局発表データ等より算出）。

このような事実を言っても、大多数の日本人から理解されないことが分かった虚しい3年半だった。完全に厭世的になってしまった自分は、徹底的に他人に関心がなくなった。あとは妻と仕事仲間と友人と両親と姉一家だけを大事にすればいい。こんなバカみたいな国に子孫を残さないでよかったとつくづく思う。可愛がるのは友人の子供と甥だけでいい。

頼むからこの日常を壊さないでくれ！

最後に道頓堀の飛び降りバカどもの話に戻るが、警備体制を伝えるYahoo！ニュースのコメントに感銘を受けた。原文ではないが、趣旨としてはこんなものだ。

飛び降りようとする人々は本当の阪神ファンではない。ただの目立ちたがり屋か騒ぎたいだけの人である。私は少し高めのウイスキーを買い、自宅で星野さん、伊良部投手、横田選手のことを思いながら試合を楽しむ。そして勝ったら静かに一人で喜びを嚙み締めるつもりだ。

この書き込み者は２００３年の優勝監督だった星野仙一氏、当時の主力投手・伊良部秀輝氏、２０１４年入団の横田慎太郎氏の名前を挙げた。３人とも故人だ。横田氏は２０２３年７月18日に28歳で亡くなった。阪神優勝の胴上げの際、「24」と背番号がプリントされたユニフォームを持った選手がいた。球場1周セレモニーの時は、同期入団の抑えの切り札・岩崎優投手が「24」のユニフォームを手に持って歩いていた。観客も大喜びだし、その後のビールかけもすべての関係者が楽しんでいた。そして、道頓堀川周辺の大群衆も嬉しそうだ。この時は26人が川に飛び降りたようだが、不思議と彼らを温かい目で見る自分がいた。

頼むからこの日常をもう壊さないでくれ。今後出てくるかもしれない、余計なことばかり言う自己顕示欲が高く私利私欲にまみれた日本人、そしてそれに従うダサい日本人よ、もう黙っていただけないか。

２０２３年10月

中川淳一郎

中川淳一郎（なかがわ・じゅんいちろう）

1973年東京都生まれ。1997年一橋大学商学部卒業後、博報堂入社。博報堂ではCC局（現PR戦略局）に配属され、企業のPR業務に携わる。2001年に退社後、雑誌ライターや『テレビブロス』編集者などを経て、出版社系ネットニュースサイトの先鞭となった『NEWSポストセブン』の立ち上げから編集者として関わり、月間3億5000万PVの巨大メディアに成長させることに尽力。並行してPRプランナーとしても活動。2020年8月31日に「セミリタイア」を宣言し、ネットニュース編集およびPRプランニングの第一線から退く。同年11月1日、佐賀県唐津市へ移住。新型コロナウィルスの蔓延に伴う日本国内での「コロナ『対策』禍」に辟易し、2023年2月6日にタイへ脱出。コロナが５類化された同年5月8日、帰国。現在も唐津にて著述活動を続ける。著書に『ウェブはバカと暇人のもの』『ネットは基本、クソメディア』『電通と博報堂は何をしているのか』『恥ずかしい人たち』『過剰反応な人たち』など多数。ABEMAのニュースチャンネル『ABEMA Prime』にコメンテーターとして出演中。週刊新潮「この連載はミスリードです」、プレジデントオンライン「それって要するに……!?」など広範なメディアで連載寄稿中（出演および連載は2023年10月末日現在）。

◎X（旧Twitter）アカウント：@unkotaberuno

日本をダサくした「空気」

怒りと希望の日本人論

第1刷　2023年10月31日

著者　中川淳一郎
発行者　小宮英行
発行所　株式会社徳間書店
〒141-8202
東京都品川区上大崎3-1-1目黒セントラルスクエア
電話　（編集）03-5403-4350／（営業）049-293-5521
振替　00140-0-44392

印刷・製本　三晃印刷株式会社

ISBN978-4-19-865699-7